CW01064974

Le
Livre
de
Poche
Jeunesse

# HISTOIRES COMME ÇA

RUDYARD KIPLING

# HISTOIRES COMME ÇA

Traduit de l'anglais
par Laurence Kiefé
(Texte intégral)
Illustrations
de l'auteur

L'édition originale de ce texte
a paru en langue anglaise, en 1902,
sous le titre :
JUST SO STORIES

## QUI EST L'AUTEUR ?

Né à Bombay en 1865, Rudyard Kipling est élevé en Angleterre et regagne les Indes à dix-sept ans. Il est alors journaliste et écrit son premier ouvrage *Simples Contes des collines.* Sept ans plus tard, il retourne en Angleterre et se consacre à l'écriture. Les deux *Livre de la Jungle* paraissent en 1894 et 1895. Mais Kipling n'est pas seulement le chantre de l'Empire britannique, il promène sa curiosité aux quatre coins du monde. Ses livres sont pleins de ce qu'il a ainsi glané. *Histoires comme ça* fut écrit « pour » sa fille, Joséphine, morte de pleurésie en 1899, à l'âge de huit ans. Le Prix Nobel fut décerné à l'écrivain en 1907.

# Comment la Baleine eut un gosier

Sur la mer, il était une fois, ô Mieux Aimée, une Baleine qui mangeait les poissons. Elle mangeait le thon et l'espadon, le maquereau et le tacaud, le carrelet et le rouget, le tourteau et le cabillaud et les crevettes qui sont tout sauf des mauviettes. Les poissons qu'elle trouvait dans la mer, elle les gobait tous à pleine bouche - comme ça ! Jusqu'au moment où dans tout l'océan, il ne resta plus qu'un petit poisson, un tout petit poisson malin qui nageait plutôt derrière l'oreille droite de la Baleine, histoire de se garer des mauvais coups. Quand la Baleine se dressa sur sa queue et déclara : « J'ai faim », le petit poisson malin répondit de sa petite voix maligne : « Noble et généreux Cétacé, as-tu jamais goûté de l'Homme ?

— Non, répondit la Baleine. À quoi ça ressemble ?

— C'est bon, répliqua le petit poisson. C'est bon mais ça ne descend pas tout rond.

— Va m'en chercher quelques-uns, ordonna la Baleine en fouettant la mer de sa queue, à la faire écumer.

— Un à la fois, ça suffit, répondit Poisson Malin. Nage jusqu'à 50° de latitude nord et 40° de longitude ouest (c'est de la Magie) et tu verras, installé sur un radeau en pleine mer, avec seulement une culotte de toile bleue, une paire de bretelles (n'oublie surtout pas les bretelles, ô Mieux Aimée) et un couteau de poche, un Marin rescapé d'un naufrage qui, et ce n'est que justice de te prévenir, est un homme d'infinies-ressource-et-sagacité.

Et donc la Baleine se mit en route vers 50° de latitude nord et 40° de longitude ouest, nageant de toutes ses nageoires ; sur un radeau, en pleine mer, avec rien sur lui si ce n'est une culotte de toile bleue, une paire de bretelles (mets bien les bretelles dans un coin de ta tête, ô Mieux Aimée) et un couteau, elle trouva un Marin rescapé, solitaire et esseulé, les orteils au fil de l'eau. (Sa mère lui avait permis de barboter, sinon il ne l'aurait jamais fait, car c'était un homme d'infinies-ressource-et-sagacité.)

Alors la Baleine ouvrit grand la bouche, mais grand grand, tant et si bien qu'elle parvint presque à toucher sa queue, et elle engloutit le marin naufragé, le radeau sur lequel il était assis, sa culotte de toile bleue, ses bretelles (celles-là, il ne faut pas les oublier) et le couteau. Elle avala le tout qui descendit dans l'obscurité tiède de ses placards intérieurs puis elle se lécha les babines - comme ça - et tourna trois fois autour de sa queue.

Mais dès que le Marin, qui était un homme d'infinies-ressource-et-sagacité, se retrouva pour de bon dans l'obscurité tiède des placards intérieurs de la Baleine, il se mit à taper des pieds et sauter, à cogner et frapper, à danser et caracoler, à mordre et tordre, à grimper et escalader, à hurler et crier, à pleurer et soupirer, à s'agiter et beugler, à danser la matelote là où il n'aurait pas dû, et la Baleine en fut malheureuse comme les pierres. (As-tu oublié les bretelles ?)

Alors, elle dit à Poisson Malin :

— Cet homme ne descend pas tout rond, et en plus, il me donne le hoquet. Qu'est-ce que je vais faire ?

— Demande-lui de sortir, répondit Poisson Malin.

Alors la Baleine cria dans son propre gosier au marin naufragé :

— Sors de là et tiens-toi convenablement. J'ai le hoquet.

— Non, non, répliqua le Marin. Pas question, bien au contraire. Emmène-moi sur mon rivage-natal et les-blanches-falaises-d'Albion ; là, j'y réfléchirai.

Et il se remit à danser plus fort que jamais.

— Tu ferais mieux de le ramener chez lui, conseilla Poisson Malin à Baleine. J'aurais dû te prévenir que c'est un homme d'infinies-ressource-et-sagacité.

Alors la Baleine se mit à nager, nager, nager, battant de la queue et des nageoires, aussi fort qu'elle pouvait malgré son hoquet ; elle aperçut enfin le rivage-natal et les-blanches-falaises-d'Albion, elle se jeta au milieu de la plage et ouvrit grand grand la bouche en disant : « Ici, correspondance pour Winchester, Ashuelot, Nashua, Keene et les arrêts de Fitchburg Road » ; au moment où elle disait « Fitch », le Marin sortit. Mais pendant que la Baleine nageait, ce Marin, qui était effectivement un homme d'infinies-ressource-et-sagacité, avait pris son couteau pour découper le radeau et le transformer en petit grillage carré solidement fixé avec les bretelles (maintenant, tu comprends pourquoi il ne fallait surtout pas oublier les bretelles !) et ce grillage, il l'avait tiré jusqu'à la gorge de la Baleine où il s'était coincé ! Il avait ensuite récité le *Sloka* qui suit, et comme tu ne le connais pas, je m'en vais te le dire :

*Grâce à ce grillage*
*J'ai mis fin à ton gavage.*

Car le Marin était également un Hi-ber-ni-en. Il mit ensuite pied à terre sur les galets et rentra retrouver sa mère, qui l'avait autorisé à se tremper les pieds ; il se maria et vécut heureux et sans histoire. La Baleine fit de même. Mais depuis ce jour, le grillage dans son gosier, qu'elle ne pouvait ni avaler ni recracher, l'obligea à ne gober que de tout petits petits poissons ; et c'est la raison pour laquelle les Baleines aujourd'hui ne mangent plus jamais d'hommes ni d'enfants, filles ou garçons.

Petit Poisson Malin est parti se cacher dans la boue sous le seuil des Portes de l'Équateur. Il avait peur que la Baleine soit très fâchée contre lui.

Le Marin rapporta le couteau à la maison. Sa culotte bleue, il la portait en débarquant sur la plage. Les bretelles, il les avait laissées, tu comprends, pour maintenir le grillage en place ; et c'est la fin de ce conte-là.

# Voici

le dessin de la Baleine en train d'avaler le Marin avec ses infinies-ressource-et-sagacité, le radeau, le couteau et ses bretelles que tu ne dois pas oublier. Les trucs à boutons, ce sont les bretelles du Marin et on voit le couteau tout à côté. Il est sur le radeau qui vient de chavirer, on n'en distingue donc pas grand-chose. Le truc blanc près de la main gauche du Marin, c'est un morceau de bois avec lequel il tentait de diriger le radeau quand la Baleine est arrivée. Ce morceau de bois, c'est une dame de nage. Le Marin l'a laissée dehors quand il a été avalé. La Baleine s'appelait Smiler et le Marin, M. Henry Bivvens, B.S. (Bon pour le Service). Le petit Poisson Malin est caché sous le ventre de la Baleine, sinon je l'aurais dessiné. Si la mer paraît aussi agitée chamboulée, c'est parce que la Baleine est en train de tout avaler pour bien gober M.Henry Albert Bivvens, le radeau, le couteau et les bretelles. N'oublie surtout pas les bretelles.

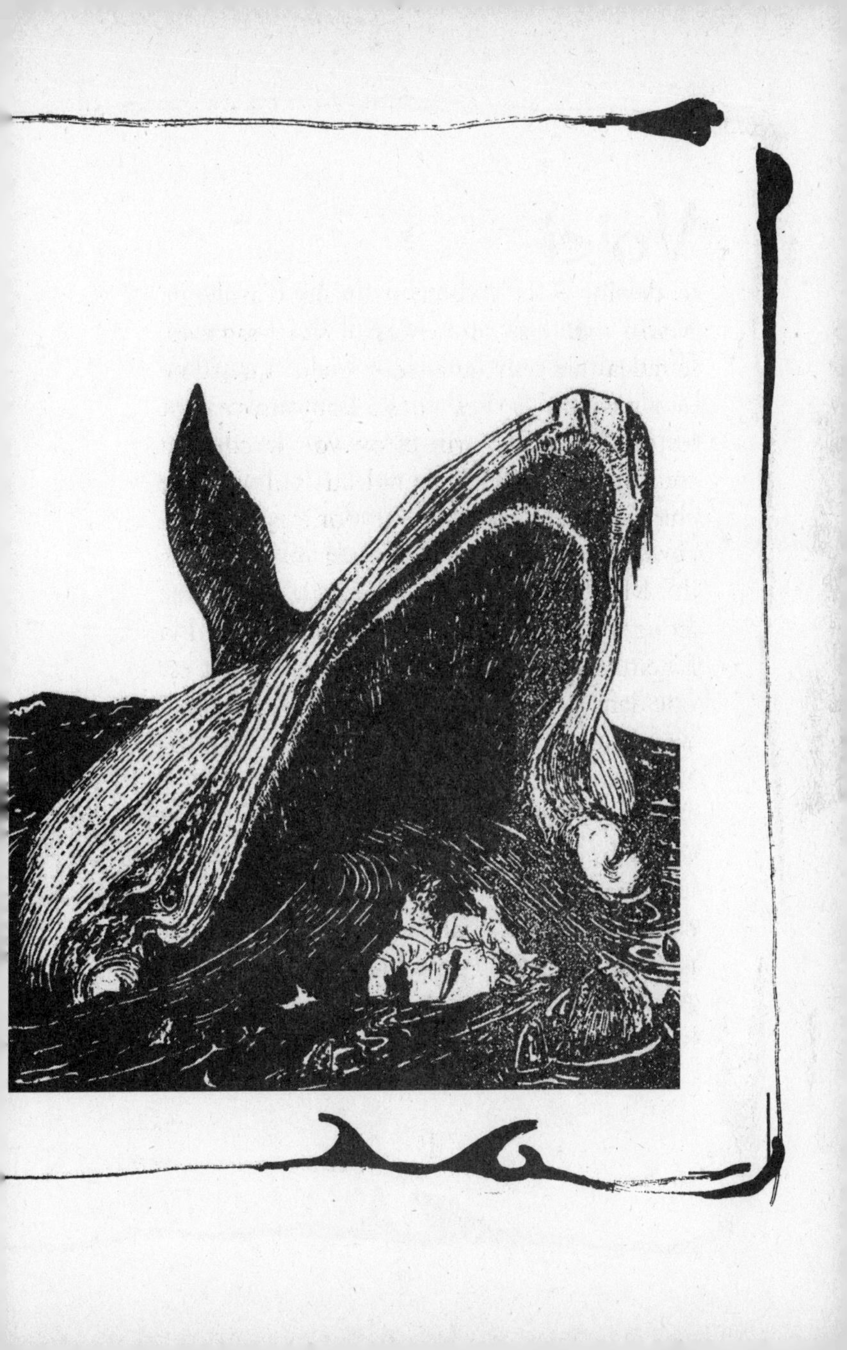

# Voici

la Baleine à la recherche du petit Poisson Malin, dissimulé sous le seuil des Portes de l'Equateur. Le petit Poisson Malin s'appelait Pingle. Il est caché dans les racines des gros paquets d'algues qui poussent devant les portes de l'Equateur. J'ai dessiné les portes de l'Equateur. Elles sont fermées. On ne les ouvre jamais parce qu'une porte doit toujours être fermée. L'espèce de corde en plein milieu du dessin, c'est l'Equateur lui-même ; et les trucs qui ressemblent à des rochers, ce sont les deux géants Moar et Koar, qui maintiennent l'ordre sur l'Equateur. Ils ont dessiné les ombres chinoises qu'on voit sur les Portes et sculpté ces poissons qui se tortillent en dessous. Les poissons au nez crochu, ce sont des Dauphins à nez crochu et les autres, avec leur tête bizarre, ce sont des Requins-Marteaux. La Baleine n'a retrouvé le petit Poisson Malin qu'après avoir surmonté sa colère et ils sont redevenus bons amis.

Quand les hublots des cabines sont vert foncé
Parce que les flots sont agités ;
Quand le bateau fait *hop-là* (ça tangue et ça roule)
Quand le steward tombe dans la soupière
Et les malles commencent à glisser ;
Quand la Nounou est recroquevillée par terre,
Quand Maman exige qu'on la laisse dormir
Quand toi tu n'es pas réveillée ni lavée ni habillée
Alors tu comprendras
(si tu ne l'as pas encore deviné)
Que tu es à Cinquante Nord et Quarante Ouest !

# Comment le Chameau eut une bosse

Voici maintenant l'histoire suivante qui raconte comment le Chameau s'est retrouvé avec une grosse bosse.

Au commencement des temps, quand le monde était encore tout-beau-tout-neuf et que les Animaux travaillaient depuis peu pour l'Homme, il y avait un Chameau ; il vivait au beau milieu d'un Désert Hurlant parce qu'il ne voulait pas travailler ; en plus, lui-même avait tout du Hurleur. Il mangeait des brindilles et des ronces, des tamaris, des laiterons et des épines, dans une insupportable oisiveté ; et quand on lui adressait la parole, il répondait : « Bof ! ». « Bof ! » et jamais rien d'autre.

Bientôt, le Cheval vint le voir le lundi matin, une selle sur le dos et un mors dans la bouche, et dit :

— Chameau, ô Chameau, viens donc trotter avec nous autres.

— Bof ! répondit le Chameau.

Le Cheval s'en alla tout répéter à l'Homme.

Bientôt, le Chien vint le voir, un bâton dans la gueule, et dit :

— Chameau, ô Chameau, viens donc rapporter comme nous autres.

— Bof ! répondit le Chameau.

Le Chien s'en alla tout répéter à l'Homme.

Bientôt, le Bœuf vint le voir, un joug autour du cou, et dit :

— Chameau, ô Chameau, viens donc labourer avec nous autres.

— Bof ! répondit le Chameau.

Le Bœuf s'en alla tout répéter à l'Homme.

À la fin de la journée, l'Homme convoqua le Cheval, le Chien et le Bœuf et leur dit :

— Vous Trois, ô Vous Trois, je suis bien désolé pour vous (avec le monde encore tout-beau-tout-neuf) ; mais ce machin à Bof dans le désert ne peut pas travailler, sinon il serait déjà là, donc je vais le laisser dans son coin et vous, vous travaillerez deux fois plus pour compenser.

Ce qui mit les Trois très en colère (avec le monde encore tout-beau-tout-neuf) et ils palabrèrent, et ils discutèrent et ils se concertèrent aux limites du

Désert ; le Chameau arriva en mâchant des laiterons dans son insupportable oisiveté, et se moqua d'eux. Puis il dit « Bof » et repartit.

Arriva bientôt le Djinn responsable de Tous les Déserts, à bord d'un nuage de poussière (les Djinns voyagent toujours ainsi parce que c'est Magique) et il s'arrêta pour palabrer et se concerter avec les Trois.

— Djinn de Tous les Déserts, dit le Cheval, est-ce normal de rester oisif, avec le monde encore tout-beau-tout-neuf ?

— Sûrement pas, répondit le Djinn.

— Eh bien, dit Cheval, il y a quelque chose au milieu de ton Désert Hurlant (et lui-même est un Hurleur) avec un grand cou et des grandes pattes, qui n'a pas accompli la moindre tâche depuis lundi matin. Il refuse de trotter.

— Ouh là ! s'exclama le Djinn en sifflant, c'est mon Chameau, par tout l'or de l'Arabie ! Qu'est-ce qu'il dit de tout ça ?

— Il dit « Bof ! », répondit le Chien, et il refuse de rapporter.

— Lui arrive-t-il de dire autre chose ?

— Seulement « Bof ! » et il refuse de labourer, dit le Bœuf.

— Très bien, dit le Djinn. Je vais aller le « boffer » si vous voulez bien attendre une minute.

Le Djinn s'enveloppa dans son manteau de poussière, se repéra dans le désert et trouva le Chameau dans son insupportable oisiveté, en train de contempler son reflet dans une flaque d'eau.

— Mon vieil ami le bulleur, dit le Djinn, qu'est-ce que j'apprends ? Tu ne travailles pas alors que le monde est encore tout-beau-tout-neuf ?

— Bof ! répondit le Chameau.

Le Djinn s'assit, le menton dans la main et commença à réfléchir à quelque Grand Sortilège, pendant que le Chameau contemplait son reflet dans la flaque.

— Depuis lundi matin, tu as donné du travail supplémentaire aux Trois, à cause de ton insupportable oisiveté, déclara le Djinn.

Et il continua à réfléchir au Sortilège, le menton dans la main.

— Bof ! dit le Chameau.

— Je ne le répéterais plus si j'étais toi, le prévint le Djinn. Tu risques de le dire une fois de trop. Bulleur, je veux que tu travailles.

Le Chameau dit encore une fois « Bof ! » ; mais à peine avait-il prononcé ce mot qu'il vit son dos, dont il était si fier, enfler, enfler pour former une grosse bosse bringuebalante.

— Tu vois ça ? dit le Djinn. C'est ton propre « bof » que tu t'es collé sur le dos en refusant de travailler. Aujourd'hui, on est jeudi et tu n'as rien fait depuis lundi, quand tout le monde s'y est mis. Tu vas commencer maintenant !

— Comment je pourrais, dit le Chameau, avec cette boffe sur le dos ?

— C'est fait tout exprès, répondit le Djinn, parce que tu as manqué ces trois jours. Désormais, tu seras capable de travailler trois jours d'affilée sans manger, et tu vivras sur ta boffe ; et ne t'avise pas de dire que je n'ai jamais rien fait pour toi. Sors du Désert, va trouver les Trois et marche droit. Boffe un peu !

Et le Chameau boffa, avec sa boffe et le reste, et partit rejoindre les Trois. Depuis ce jour, le Chameau porte toujours une boffe (maintenant, on appelle ça une bosse pour ne pas lui faire de peine) ; mais il n'a jamais réussi à rattraper les trois jours perdus au commencement du monde et il n'a toujours pas appris à marcher droit.

le dessin représentant le Djinn en train de démarrer le Sortilège qui a donné la Boffe au Chameau. Avec son doigt, il a d'abord dessiné un trait qui s'est solidifié dans l'air ; ensuite, il a fait un nuage et un œuf - on les voit en bas de l'image - et après, une citrouille magique qui s'est transformée en grande flamme blanche. Le Djinn a alors pris son éventail magique pour attiser la flamme jusqu'à ce qu'elle devienne Magique elle-même. C'était vraiment un bon Sortilège et en plus très gentil, même si c'était pour donner une boffe au Chameau parce qu'il était paresseux. Le Djinn responsable de Tous les Déserts était un des plus gentils Djinns qui soient, il n'aurait donc jamais fait quelque chose de méchant.

# Voici

le dessin du Djinn responsable de Tous les Déserts en train de guider le Sortilège à l'aide de son éventail magique. Le Chameau mange une brindille d'acacia et vient juste de dire « Bof ! » une fois de trop (le Djinn l'avait bien prévenu), donc la Boffe arrive. Le grand machin comme du tissu éponge qui sort du truc qui ressemble à un oignon, c'est le Sortilège et on voit bien la Boffe posée dessus. La boffe va s'ajuster sur le dos du Chameau, à plat. Le Chameau est trop occupé à s'admirer dans la flaque d'eau pour comprendre ce qui l'attend.

Sous cette image réaliste, il y a un dessin du Monde encore tout-beau-tout-neuf. On voit deux volcans qui fument, quelques montagnes, des rochers, un lac, une île noire, une rivière zigzagante et un tas d'autres choses, même une Arche de Noé. Je ne pouvais pas dessiner tous les Déserts dont le Djinn s'occupe, alors je n'en ai dessiné qu'un seul mais c'est un désert des plus désertiques.

La bosse du Chameau,
c'est un morceau pas beau
Qu'on peut facilement voir au zoo ;
Mais le « bof » qu'on empoche
En bossant trop peu est encore plus moche.

Les enfants tout autant que les gra-a-a-nds
S'ils ne travaillent pas suffisamm-e-e-ent
Ils se chopent un « bof »
Un chameau de cafard -
Un cafard plein de blues !

On sort de son lit la tête au carré
Et la voix ronchon-grognon.
On frissonne, on râle, on proteste
Contre le bain, les bottes et les jouets ;

Il doit bien y avoir un coin pour moi
(et je sais qu'il y en a un pour toi)
où on chope ce « bof »
Ce chameau de cafard
Un cafard plein de blues !

Le seul traitement, surtout ne pas se reposer
Ni se coller à lire au coin du feu ;
Non, avec une binette et une grande pelle
Il faut creuser à se faire transpirer ;

On comprend alors que le soleil et le vent
Sans compter le Djinn du Jardin,
Ont soulevé le cafard
Cet horrible cafard
Ce cafard plein de blues !

Moi j'y ai droit autant que toi-oi-oi
Si je ne fais rien de mes dix doi-oi-oigts !
On se chope tous le cafard -
Ce chameau de cafard -
Les enfants autant que les grands !

# Comment le Rhinocéros eut cette peau

Il était une fois, sur une île déserte des bords de la mer Rouge, un Parsi dont le chapeau reflétait les rayons du soleil dans une splendeur-plus-qu'orientale. Et le Parsi vivait au bord de la mer Rouge sans rien si ce n'est son chapeau, son couteau et son fourneau, d'un genre que tu dois particulièrement ne jamais toucher. Et un jour, il prit de la farine et de l'eau, des groseilles et des prunes, du sucre et d'autres choses et se fit un gâteau de soixante centimètres de large et quatre-vingt-dix de haut. C'était vraiment du Comestible Supérieur (c'est ça la Magie), il le mit dans le four parce que lui avait le droit de l'allumer et le fit cuire encore et encore jusqu'à ce que le gâteau fût tout brun et exhalât une odeur des plus sentimentales. Mais alors qu'il s'apprêtait à le manger, descendit sur la plage, venant du Désert Désert de l'Intérieur, un Rhinocéros avec une Corne sur le nez, deux yeux de cochon et guère de manières. En ce temps-là, la peau du Rhinocéros était bien tendue. Elle ne formait aucun pli nulle part. Il ressemblait exactement au Rhinocéros d'une Arche de Noé, mais évidemment en beaucoup plus gros. En tout cas, il n'avait guère de manières à l'époque, il n'en a toujours pas et n'en aura jamais. Il dit « Quoi ! » et le Parsi abandonna son gâteau pour grimper au sommet d'un palmier sans rien si ce n'est son chapeau qui reflétait toujours les rayons du soleil dans une splendeur-plus-qu'orientale. Et le Rhinocéros renversa le fourneau avec son nez, le gâteau roula dans le sable, il l'embrocha sur sa corne, il le mangea puis partit en remuant la queue vers les Déserts Désertiques de l'Intérieur qui confinent aux îles de Mazanderan, de Socotra et des Promontoires des Grandes Équinoxes. Le Parsi descendit alors de son palmier, remit le fourneau sur ses pieds et récita le *Sloka* suivant que tu n'as jamais entendu et que je vais maintenant te dire :

*Ceux qui s'emparent des gâteaux*
*Que le Parsi met au fourneau*
*Devront s'en repentir bientôt.*

Et tu n'imagines pas les conséquences de ces trois vers.

Parce que, cinq semaines plus tard, il y eut une vague de chaleur sur les bords de la mer Rouge et tout le monde se débarrassa des vêtements qu'il portait. Le Parsi ôta son chapeau ; mais le Rhinocéros, lui, enleva sa peau et la jeta sur son épaule pour descendre se baigner sur la plage. À l'époque, elle se fermait par en dessous avec trois boutons et ressemblait à un imperméable. Le Rhinocéros ne fit aucune allusion au gâteau du Parsi, puisqu'il l'avait mangé tout entier ; et il n'avait jamais eu de manières, ni maintenant, ni depuis, ni après. Il descendit dans l'eau en se dandinant, il souffla des bulles par le nez mais laissa sa peau sur le sable.

Le Parsi bientôt la trouva et sourit d'un sourire qui faisait deux fois le tour de sa tête. Il dansa trois fois en rond en se frottant les mains. Ensuite, il alla jusqu'à son campement et remplit son chapeau de miettes de gâteau ; c'était l'unique nourriture de ce Parsi qui ne balayait jamais chez lui. Il prit la peau, il la secoua, il la racla et la frotta pour y coller autant de vieilles miettes gratteuses de gâteau rassis et de raisins brûlés que possible. Puis il monta en haut de son palmier et attendit que le Rhinocéros sorte de l'eau et se rhabille.

Et c'est ce que fit le Rhinocéros. Ses trois boutons boutonnés, ça le démangea, comme des miettes au fond d'un lit. Plus il se grattait plus la situation empirait ; il se coucha sur le sable pour se rouler rouler rouler dans tous les sens et les miettes le démangèrent davantage, encore et encore. Alors il courut jusqu'au palmier pour se frotter frotter frotter contre le tronc. À force de se frotter tellement fort et longtemps, la peau plissa autour de ses épaules et en dessous, là où il y avait eu des boutons (qu'il avait arrachés) sans compter celle des pattes. Ce qui le mit de très mauvaise humeur sans rien changer aux miettes. Elles étaient sous sa peau et le démangeaient. Alors il rentra chez lui, vraiment furieux et gratteux ; depuis ce jour, les rhinocéros ont tous la peau qui plisse et très mauvais caractère, et tout ça c'est la faute des miettes.

Le Parsi descendit de son palmier, avec son chapeau sur la tête qui reflétait toujours les rayons du soleil dans une splendeur-plus-qu'orientale ; il emballa son fourneau et partit dans la direction d'Orotavo, d'Amygdala, des Hautes Prairies d'Anantarivo et des Marais de Sonaput.

# Voici

le dessin du Parsi qui s'apprête à manger son gâteau sur l'Île Déserte au bord de la mer Rouge, un jour de canicule ; et celui du Rhinocéros qui descend du Désert Désert de l'Intérieur qui, tu t'en rends clairement compte, n'est que du rocher.

La peau du Rhinocéros est très souple et les trois boutons qui la ferment en dessous sont bien là, même si tu ne les vois pas. Les gribouillages sur le chapeau du Parsi, ce sont les rayons du soleil qui se reflètent dans une splendeur-plus-qu'orientale, parce que si j'avais dessiné les vrais rayons, ils auraient occupé tout l'espace de la page. Il y a des raisins secs dans le gâteau ; l'espèce de roue qu'on voit dans le sable au premier plan vient d'un des chars de Pharaon quand il a tenté de franchir la mer Rouge. Le Parsi l'a trouvée et l'a gardée pour jouer avec. Le Parsi s'appelait Pestonji Bomonji et le Rhinocéros Strorks, parce qu'il respirait par la bouche plutôt que par le nez. Si j'étais toi, je ne poserais aucune question sur le fourneau.

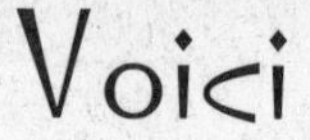


le Parsi Pestonji Bomonji installé dans son palmier pour observer le Rhinocéros Strorks qui se baigne près de la plage de l'Île Tout à Fait Déserte après avoir ôté sa peau. Le Parsi a frotté l'intérieur de miettes de gâteau et il sourit déjà à l'idée qu'elles vont démanger Strorks quand il se rhabillera. La peau est posée sous les rochers, juste à l'aplomb du palmier, dans un endroit frais ; c'est pour cela que tu ne la vois pas. Le Parsi porte un nouveau chapeau d'une splendeur-plus-qu'orientale, comme ceux que portent les Parsis ; et il a un couteau à la main pour graver son nom sur les palmes. Les trucs noirs près des îles au large sont les épaves des bateaux qui ont fait naufrage en franchissant la mer Rouge ; mais tous les passagers ont été sauvés et sont rentrés chez eux.

Le truc noir dans l'eau près du bord n'a rien à voir avec une épave. Il s'agit de Strorks le Rhinocéros qui se baigne sans sa peau ; il était aussi noir dessus que dessous. Et si j'étais toi, je ne poserais aucune question sur le fourneau.

*Cette Île Déserte est*
*Au large du Cap Gardafui,*
*Près des Plages de Socotra*
*Et de la mer Rose d'Arabie :*
*Mais il fait chaud - bien trop chaud*
*Pour que des gens comme toi et moi*
*Quittent jamais Suez*
*À bord d'un paquebot*
*Pour rencontrer le Parsi-à-Gâteau.*

# Comment le Léopard eut des Taches

En ces temps où tout le monde était heureux, Mieux Aimée, le Léopard vivait dans un endroit qui s'appelait le Haut-Veldt. À ne pas confondre avec le Bas-Veldt ou le Veldt-Brousse ou l'Amer-Veldt, mais le Haut-Veldt 'sclusivement nu, brûlant, brillant, où il y avait du sable et des pierres couleur de sable et 'sclusivement des touffes d'herbe jaune sable. La Girafe et le Zèbre et l'Éland et le Koudou et le Bongo vivaient là ; et ils étaient 'sclusivement marron-jaune sable tout partout ; mais le Léopard, lui, il était le plus 'sclusivement marron-jaune le plus sable de tous - un genre de chat gris-jaune parfaitement assorti jusqu'au dernier poil à la couleur 'sclusivement gris-jaune-brun du Haut-Veldt. Ce qui était très mauvais pour la Girafe, le Zèbre et tous les autres ; parce qu'il s'aplatissait derrière un rocher ou une touffe d'herbe 'sclusivement gris-jaune-brun, et quand la Girafe, le Zèbre, l'Eland, le Koudou ou le Buffle de Brousse ou le Bonte-Buffle surgissaient, il leur sautait dessus sans leur laisser le temps de faire ouf ! Ah, il y allait franchement ! Et puis il y avait un Éthiopien avec des arcs et des flèches (à l'époque, c'était un homme 'sclusivement gris-jaune-brun) qui vivait dans le Haut-Veldt avec le Léopard ; ces deux-là chassaient souvent ensemble - l'Ethiopien avec ses arcs et ses flèches et le Léopard 'sclusivement avec ses crocs et ses griffes - jusqu'à ce que la Girafe, l'Eland, le Koudou, le Quagga et tous les autres ne sachent plus par où s'échapper, Mieux Aimée. Ah, franchement, ils ne savaient plus !

Au bout de fort longtemps - à l'époque, les choses duraient éternellement - ils apprirent à éviter tout ce qui ressemblait à un Léopard ou à un Éthiopien ; et petit à petit - c'est la Girafe qui commença, parce qu'elle avait les plus longues pattes - ils quittèrent le Haut-Veldt. Ils cavalèrent pendant des jours et des jours et des jours avant d'atteindre une grande forêt, 'sclusivement remplie d'arbres, de buissons et d'ombres rayées, tachetées, piquetées-mouchetées, et là, ils se cachèrent ; au bout d'encore très longtemps, à force de se tenir moitié à couvert moitié à découvert avec l'ombre de tous ces arbres qui ne cessait de glisser-couler sur eux, la Girafe attrapa des taches, le Zèbre des rayures, l'Éland et le Koudou s'assombrirent, avec des petits traits ondulés gris sur le dos, comme l'écorce sur un tronc ; donc, même si on pouvait toujours les entendre et les sentir, on ne les voyait plus que rarement et encore, seulement quand on savait où regarder. Ils menaient tous une vie délicieuse dans l'ombre 'sclusivement tache-tachetée de la forêt, tandis que le Léopard et l'Éthiopien couraient partout dans le Haut-Veldt 'sclusivement gris-jaune-rouge en se demandant où avaient pu passer leurs petits-déjeuners, leurs dîners et leurs goûters. À la fin, ils avaient tellement faim qu'ils mangeaient des rats, des scarabées et des lapins de roche, le Léopard et l'Éthiopien, et là, ils se retrouvèrent avec le Gros Mal de ventre, tous les deux ensemble ; c'est alors qu'ils rencontrèrent Baviaan - le Babouin à tête de chien qui aboie et qui est bien l'Animal le plus Sage de toute l'Afrique du Sud.

Léopard dit donc à Baviaan (et c'était une très chaude journée) :

— Mais où est donc passé tout le gibier ?

Baviaan cligna de l'œil. Lui, il savait.

L'Éthiopien dit à Baviaan :

— Pourriez-vous m'indiquer l'habitat actuel de la Faune aborigène ?

(Ce qui signifie exactement la même chose, mais

l'Ethiopien utilisait toujours des mots compliqués. C'était un adulte.)

Baviaan cligna de l'œil. Lui, il savait.

Alors il répondit :

— Le gibier est parti s'atteler à d'autres tâches ailleurs ; et je te conseille, Léopard, d'en faire autant le plus vite que tu pourras.

Et l'Ethiopien répondit :

— Tout ça est bel et bon, mais je souhaiterais savoir où la Faune aborigène a décidé de migrer.

Alors Baviaan dit :

— La Faune aborigène a décidé de rejoindre la Flore aborigène parce qu'il était grand temps de changer ; et je te conseille, Ethiopien, d'en faire autant le plus vite que tu pourras.

Le Léopard et l'Éthiopien étaient perplexes, mais ils se mirent en route pour chercher la Flore aborigène et effectivement, après d'innombrables jours de marche, ils virent une grande, vaste et haute forêt remplie de troncs d'arbres tous 'sclusivement tachetés, mouchetés, piquetés, pommelés, tavelés, marbrés, hachurés, bariolés, bigarrés d'ombres. (Dis-le vite et tout haut, tu verras à quel point cette forêt était ombreuse.)

— Mais qu'est-ce donc, dit le Léopard, qui est si 'sclusivement sombre et fourmille pourtant d'éclats de lumière ?

— Je ne sais pas, répondit l'Éthiopien, mais il doit s'agir de la Flore aborigène. Je sens la Girafe, j'entends la Girafe et pourtant je ne vois pas la Girafe.

— C'est curieux, dit le Léopard. Je suppose que c'est parce que nous venons du soleil. Je sens le Zèbre, j'entends le Zèbre et pourtant je ne vois pas le Zèbre.

— Attends un peu, dit l'Éthiopien. Ça fait un moment qu'on ne les a plus chassés. On a peut-être oublié à quoi ils ressemblent.

— Tu parles ! répliqua le Léopard. Je me souviens parfaitement d'eux sur le Haut-Veldt, surtout de leur os à moelle. La Girafe mesure dix-sept pieds de haut, d'une couleur 'sclusivement jaune fauve doré de la tête aux pieds ; et le Zèbre a quatre pieds et demi, d'une couleur 'sclusivement gris-brun de la tête aux sabots.

— Hum, dit l'Éthiopien en scrutant l'ombre mouchetée-tachetée de la forêt de la Flore aborigène. Alors, avec cette pénombre, ils devraient ressortir comme des bananes mûres dans un fumoir à viande.

Mais ce n'était pas le cas. Le Léopard et l'Éthiopien chassèrent toute la journée ; ils avaient beau les sentir et les entendre, ils ne virent jamais la queue d'un seul.

— Bon sang, déclara le Léopard à l'heure du goûter, attendons qu'il fasse nuit. C'est absolument scandaleux de chasser en plein jour.

Ils attendirent donc la tombée du jour et le Léopard entendit alors quelque chose souffler dédaigneusement dans la lumière des étoiles qui passait hachurée entre les branches ; il sauta sur ce bruit ; ça sentait le Zèbre, ça réagissait comme le Zèbre et quand il cogna dessus, ça fila des coups de pattes comme le Zèbre mais il n'y voyait goutte. Alors, il dit :

— Reste tranquille, ô personne n'appartenant à aucune espèce. Je vais m'installer sur ta tête jusqu'au matin, parce qu'il y a chez toi quelque chose que je ne comprends pas.

Bientôt, ça se remit à grogner, à tomber et à se bagarrer et l'Éthiopien cria :

— J'ai attrapé quelque chose que je ne vois pas. Ça sent la Girafe, ça se défend comme la Girafe mais ça n'appartient à aucune espèce.

— Méfie-toi, conseilla le Léopard. Assieds-toi sur sa tête jusqu'à demain matin - exactement comme je le fais. Ils n'appartiennent à aucune espèce - aucun d'eux.

Ils s'assirent donc dessus jusqu'à ce que le matin soit bien levé et alors le Léopard dit :

— Qu'est-ce que tu as dans ta gamelle, mon frère ?

L'Éthiopien se gratta la tête et dit :

— Ce devrait être 'sclusivement d'un beau jaune orange fauve de la tête aux pieds et ce devrait être Girafe ; mais c'est couvert de haut en bas de taches marron. Et toi, mon frère, qu'as-tu dans ta gamelle ?

Le Léopard se gratta la tête et dit :

— Ça devrait être 'sclusivement d'un gris-brun délicat et ce devrait être Zèbre ; mais c'est couvert de haut en bas de rayures noir et violet. Mais, au nom du ciel, qu'as-tu donc fait de toi-même, Zèbre ? Ne sais-tu donc pas que si tu étais dans le Haut-Veldt, je pourrais te voir à des kilomètres de distance ? Tu n'appartiens à aucune espèce.

— Oui, répondit le Zèbre, mais ici, ce n'est pas le Haut-Veldt. Tu vois la différence ?

— Maintenant, oui, dit le Léopard. Mais hier, je ne voyais rien. Comment ça se fait ?

— Laissez-nous partir, demanda le Zèbre, et nous allons vous montrer.

Ils laissèrent le Zèbre et la Girafe se lever ; Zèbre se dirigea vers un buisson d'épineux où la lumière était hachée tandis que Girafe s'avançait vers de grands arbres qui donnaient une ombre tachetée.

— Et maintenant, regardez bien, dirent le Zèbre et la Girafe. Voilà comment ça se passe. Un… deux… et trois ! Où est donc passé votre petit-déjeuner ?

Léopard écarquilla les yeux, Ethiopien écarquilla les yeux mais tout ce qu'ils voyaient, c'étaient des ombres hachurées et des ombres tachetées, sans la moindre trace de Zèbre ni de Girafe. Il leur avait suffi de s'éloigner pour se cacher au cœur de la forêt ombreuse.

— Eh ! Eh ! s'exclama l'Éthiopien. Voilà un bon truc à apprendre. Prends-en de la graine, Léopard. Dans cette pénombre, tu ressors comme un savon dans un seau à charbon.

— Oh ! Oh ! répliqua le Léopard. Serais-tu très étonné d'apprendre que tu ressors dans cette pénombre comme un cataplasme sur un sac à charbon ?

— Bon, nous injurier ne nous aidera pas à chasser, dit l'Éthiopien. Notre problème, c'est de ne pas être assortis au paysage. Je vais suivre le conseil de Baviaan. La seule chose à changer pour moi, c'est ma peau.

— En quelle couleur ? demanda le Léopard dans un état d'excitation fébrile.

— Pour un joli noir-brun, avec une nuance de violet et quelques reflets bleu ardoise. Ce sera parfait pour me cacher dans les creux et derrière les arbres.

Il entreprit donc de changer de peau par petites touches et le Léopard était prodigieusement intéressé ; il n'avait encore jamais vu un homme changer de peau.

— Et moi alors ? dit-il lorsque l'Éthiopien eut recouvert son dernier petit doigt de sa jolie peau noire toute neuve.

— Suis donc le conseil de Baviaan. Il t'a dit de te mettre à la tâche ailleurs.

— C'est bien ce que j'ai fait, répliqua le Léopard.

Je me suis mis à la tâche aussi vite que j'ai pu. Je t'ai suivi jusqu'ici et on ne peut pas dire que ça m'ait été très utile.

— Oh, dit l'Éthiopien, Baviaan ne parlait pas de ces tâches-là. Il parlait de taches sur ta peau.

— À quoi ça sert ? demanda le Léopard.

— Pense à la Girafe, répondit l'Éthiopien. Ou si tu préfères les rayures, pense au Zèbre. Ils estiment que leurs taches et leurs rayures leur donnent entière satisfaction.

— Hum ! dit le Léopard, je n'aimerais pas ressembler au Zèbre - mais alors vraiment pas.

— Écoute, décide-toi, dit l'Ethiopien, parce que je détesterais partir à la chasse sans toi mais je le ferai si tu t'obstines à ressembler à un tournesol qui pousse contre une palissade goudronnée.

— Alors, je choisis plutôt les taches, dit le Léopard, mais ne les fais pas trop tape-à-l'œil. Je ne voudrais pas ressembler à la Girafe - mais alors vraiment pas.

— Je vais les dessiner du bout de mes doigts, dit l'Éthiopien. Il me reste encore plein de noir sur la peau. Lève-toi !

L'Éthiopien réunit ses cinq doigts (il restait encore beaucoup de noir sur sa nouvelle peau) et les appliqua partout sur le Léopard ; chaque fois que les cinq doigts se posaient, ils laissaient cinq petites marques noires, proches les unes des autres. On les voit sur le pelage de n'importe quel Léopard qu'on rencontre, Mieux Aimée. Parfois, les doigts ont glissé et les marques sont un peu brouillées ; mais si tu examines de près un Léopard aujourd'hui, tu verras qu'il y a toujours cinq taches - pour les cinq doigts noirs et épais.

— Te voilà une vraie beauté ! s'exclama l'Éthiopien. Si tu t'allonges sur la terre nue, on te prendra pour un tas de cailloux. Si tu t'allonges sur un rocher pelé, on te prendra pour un morceau de poudingue. Si tu t'allonges sur une branche, on te prendra pour le soleil qui passe entre les feuilles ; et si tu t'allonges en plein milieu du chemin, on te prendra pour rien du tout. Pense à cela et ronronne !

— Mais si je suis tout cela, dit le Léopard, pourquoi n'es-tu pas devenu tacheté, toi aussi ?

— Oh, le noir uni, c'est ce qu'il y a de mieux pour un nègre, répondit l'Ethiopien. Maintenant, viens donc voir si on peut se venger de M.Un-Deux-Trois-Où-C'est-le-Déjeuner ?

Et c'est ainsi qu'ils partirent ; depuis, ils vécurent toujours heureux, Mieux Aimée. Voilà tout.

Oh, de temps à autre, tu entendras des adultes demander : « L'Éthiopien peut-il changer de peau ou le Léopard de taches ? ». Même des adultes ne continueraient pas à dire une bêtise pareille si le Léopard et l'Éthiopien ne l'avaient pas fait une fois - qu'en penses-tu ? Mais ils ne recommenceront jamais, Mieux Aimée. Ils sont tout à fait satisfaits de leur sort.

# Voici

Baviaan le Sage, le Babouin à tête de chien, qui est sans doute l'Animal le plus Sage de toute l'Afrique du Sud. Je l'ai dessiné d'après une statue faite à partir de ma propre tête, et j'ai écrit son nom sur sa ceinture, sur son épaule et sur l'objet qui lui sert de siège. Je l'ai écrit dans ce qui n'est l'alphabet ni coptique ni hiéroglyphique ni cunéiformique ni bengalique ni birmanique ni hébraïque, tout ça parce que c'est un sage. Il n'est pas beau, mais c'est un sage ; et j'aimerais bien le peindre avec les couleurs de la boîte de peinture, mais je n'ai pas le droit. Le truc en forme de parapluie autour de sa tête, c'est sa Crinière Réglementaire.

Voici le dessin du Léopard et de l'Ethiopien après qu'ils ont suivi le conseil de Baviaan le Sage ; le Léopard s'est donné pour tâche d'avoir des taches et l'Ethiopien de changer de peau. L'Ethiopien était vraiment noir et s'appelait donc Sambo. Le Léopard s'appelait Tacheté et on l'a toujours appelé ainsi depuis. Ils sont en train de chasser dans la forêt piquetée-mouchetée et cherchent M. Un-Deux-Trois-Où-C'est-le-Déjeuner ? Si tu regardes bien, tu verras que M. Un-Deux-Trois n'est pas très loin. L'Éthiopien s'est caché derrière un arbre marbré parce que c'est assorti à sa peau et le Léopard est couché à côté d'un tas de pierres piquetées-mouchetées parce que c'est assorti à ses taches. M. Un-Deux-Trois-Où-C'est-le-Déjeuner s'est dressé pour manger les feuilles d'un grand arbre. Il s'agit en fait d'un dessin à énigme comme dans « Trouve-le-Chat ».

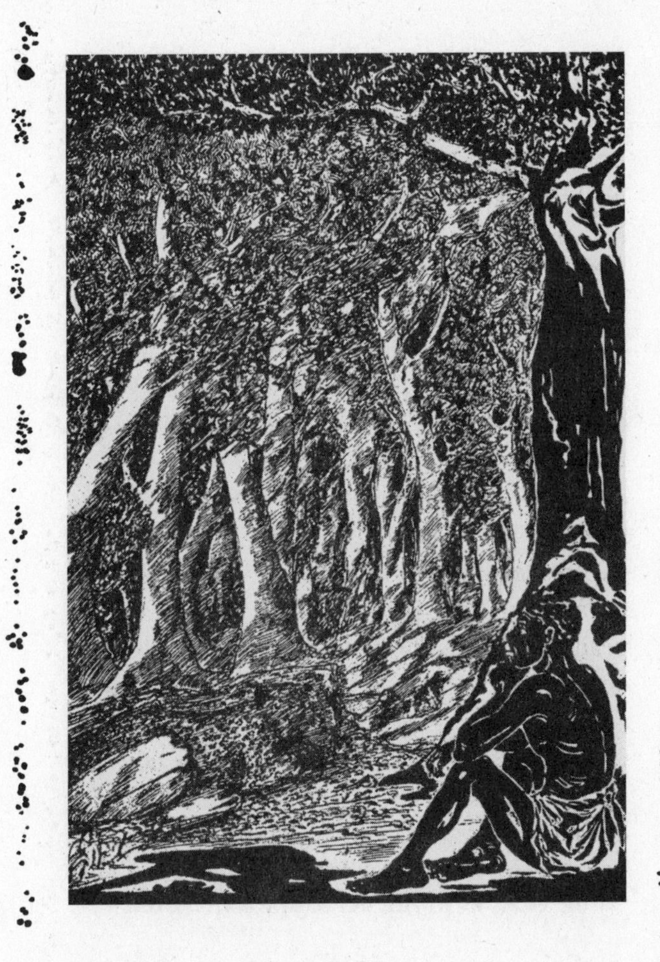

Je suis Baviaan le plus Sage des Sages,
disant du ton le plus sage qui soit,
« Fondons-nous dans le paysage -
rien que nous deux et personne d'autre. »
Des gens sont venus en visite -
dans une voiture. Mais maman était là…
Oui, je peux y aller si tu m'emmènes -
ma nounou s'en moque.
Montons jusqu'à la porcherie et asseyons-
nous sur la barrière de la cour !
Discutons avec les lapins pour le plaisir
de voir leurs petites queues détaler !
Faisons… oh *n'importe quoi*, papa, du
moment qu'on est toi et moi,
Partons en exploration pour de bon et
ne rentrons que pour le goûter !
Voilà tes bottines (je les ai apportées),
voilà ta casquette et ta canne,
Voilà aussi ta pipe et ton tabac.
Oh, viens te promener loin d'ici… vite !

# L'Enfant d'Éléphant

Dans les temps lointains et reculés, ô Mieux Aimée, l'Éléphant n'avait pas de trompe. Son nez n'était qu'une bosse noirâtre, grosse comme une botte, qu'il tortillait dans tous les sens mais avec laquelle il ne pouvait rien ramasser. Or, il y avait un Éléphant - un nouvel Éléphant, un Enfant d'Éléphant - qui était plein d'une insatiable curiosité, ce qui veut dire qu'il ne cessait de poser des questions. Il vivait en Afrique et ses insatiables curiosités emplissaient l'Afrique toute entière. Il demandait à sa grande tante Autruche pourquoi les plumes de sa queue poussaient comme ça, et sa grande tante Autruche le cognait d'un coup de patte bien dure. Il demandait à son grand oncle Girafe ce qui rendait sa peau tachetée et son grand oncle Girafe le cognait d'un coup de sabot bien dur. Et lui, il était toujours plein d'une insatiable curiosité ! Il demandait à sa grosse tante Hippopotame pourquoi elle avait les yeux rouges et sa grosse tante Hippopotame le cognait d'un bon gros coup de sabot ; il demandait à son oncle poilu, le Babouin, pourquoi les melons avaient le goût qu'ils ont et son oncle poilu le Babouin le cognait de sa patte poilue. Et il était toujours plein d'une insatiable curiosité !

Il posait des questions sur tout ce qu'il voyait, entendait, ressentait, flairait, touchait et tous ses oncles et toutes ses tantes le cognaient. Pourtant, il restait toujours plein d'une insatiable curiosité !

Un beau matin, au milieu de la Précession des Equinoxes, cet insatiable Enfant d'Éléphant posa une bien belle question qu'il n'avait encore jamais posée. Il demanda :

— Que mange donc le Crocodile pour son dîner ?

Alors tout le monde cria « Chut ! » d'une grosse voix terrifiante et aussitôt, on le cogna sans s'arrêter, pendant longtemps.

Plus tard, quand ce fut fini, il tomba sur l'oiseau Kolokolo, installé au beau milieu d'un buisson d'épineux et il dit :

— Mon père m'a cogné et ma mère m'a cogné ; tous mes oncles et mes tantes m'ont cogné pour mon insatiable curiosité ; et pourtant, je veux encore savoir ce que mange le Crocodile pour son dîner !

Alors l'oiseau Kolokolo répondit, dans un cri sinistre :

— Va sur les berges du grand fleuve Limpopo gris, gras, vert et tout bordé d'arbres de fièvre et tu trouveras.

Dès le lendemain matin, quand il ne restait plus rien des Equinoxes parce que la Précession les avait précédées conformément à la précédente, cet insatiable Enfant d'Éléphant prit cent livres de banane (de l'espèce petite et rouge), cent livres de canne à sucre (de l'espèce longue et violette) et dix-sept melons (de l'espèce verte et craquelée) et déclara à toute sa chère famille :

— Au revoir. Je m'en vais sur les berges du grand fleuve Limpopo gris, gras, vert et tout bordé d'arbres de fièvre pour découvrir ce que le Crocodile mange pour son dîner.

Et ils le cognèrent tous encore une fois pour lui porter chance, quoiqu'il leur ait demandé très poliment de bien vouloir arrêter.

Puis il s'en alla, un peu échauffé mais pas très étonné, tout en mangeant des melons dont il lançait l'écorce derrière lui, puisqu'il ne pouvait pas la ramasser.

Il alla de Graham's Town à Kimberley et de Kimberley au Pays de Khama et du Pays de Khama, il se dirigea nord-nord-est, sans cesser de manger des melons jusqu'à ce qu'enfin, il atteigne les berges du grand fleuve Limpopo, gris, gras, vert et tout bordé d'arbres de fièvre, exactement comme l'avait décrit l'oiseau Kolokolo.

Maintenant, il faut que tu saches et que tu comprennes, ô Mieux Aimée, que jusqu'à cette semaine, ce jour, cette heure et cette minute, cet insatiable Enfant d'Éléphant n'avait jamais vu de Crocodile et ignorait à quoi cela ressemblait. C'était toujours son insatiable curiosité.

La première chose qu'il trouva, ce fut un Serpent-Python-bicolore-des-Rochers enroulé autour d'un rocher.

— 'Scusez-moi, dit l'Enfant d'Éléphant très poliment, mais auriez-vous vu quelque chose comme un Crocodile, dans ces promiscuités alentour ?

— Si j'ai vu un Crocodile ? répondit le Serpent-Python-bicolore-des-Rochers, d'une voix chargée d'un terrible mépris. Que vas-tu encore me demander ?

— 'Scusez-moi, dit l'Enfant d'Éléphant, mais auriez-vous la bonté de m'indiquer ce qu'il mange pour son dîner ?

Alors le Serpent-Python-bicolore-des-Rochers quitta son rocher d'un bond et se mit à cogner l'Enfant d'Eléphant avec sa queue écailleuse, cinglante comme un fouet.

— C'est bizarre, dit l'Enfant d'Éléphant, parce que mon père et ma mère, mon oncle et ma tante, sans parler de mon autre tante l'Hippopotame et de mon autre oncle le Babouin, m'ont tous cogné dessus à cause de mon insatiable curiosité - et je suppose que là, c'est encore la même chose.

Alors il dit au revoir très poliment au Serpent-Python-bicolore-des-Rochers et l'aida à se réenrouler

autour de son rocher ; puis il reprit sa route, un peu échauffé mais pas très étonné, tout en mangeant des melons dont il lançait l'écorce derrière lui puisqu'il ne pouvait pas la ramasser jusqu'à ce qu'il pose la patte sur ce qu'il crut être une bûche, sur la rive du grand fleuve Limpopo gris, gras, vert et tout bordé d'arbres de fièvre.

Mais c'était pour de bon le Crocodile, ô Mieux Aimée, et le Crocodile cligna de l'œil - comme ça !

— 'Scusez-moi, dit très poliment l'Enfant d'Eléphant, mais auriez-vous déjà vu un Crocodile dans ces promiscuités alentour ?

Alors le Crocodile cligna de l'autre œil et sortit à moitié sa queue de la boue ; et l'Enfant d'Éléphant recula très poliment, parce qu'il n'avait nulle envie de se faire encore cogner dessus.

— Viens par ici, Mon Petit, dit le Crocodile. Pourquoi demandes-tu pareille chose ?

— 'Scusez-moi, dit l'Enfant d'Éléphant très poliment, mais mon père m'a cogné, ma mère m'a cogné, sans parler de ma grande tante l'Autruche et de mon grand oncle la Girafe, qui peut taper vraiment fort, tout autant que ma grosse tante l'Hippopotame et mon oncle poilu le Babouin, sans oublier le Serpent-Python-bicolore-des-Rochers avec sa queue écailleuse, cinglante comme un fouet, un peu plus haut sur la rive, qui cogne plus fort que tous les autres ; et donc, si c'était un effet de votre bonté, je ne veux plus être cogné.

— Viens par ici, Mon Petit, dit le Crocodile, car je suis le Crocodile.

Et il se mit à verser des larmes de crocodile pour montrer que c'était la vérité.

Alors l'Enfant d'Éléphant, le souffle coupé, se mit à haleter et s'agenouilla sur la berge.

— Vous êtes précisément la personne que je recherche depuis toutes ces longues journées. Seriez-vous assez aimable pour me dire ce que vous mangez à dîner ?

— Viens par ici, Mon Petit, répéta le Crocodile, je vais te le chuchoter.

Alors l'Enfant d'Éléphant posa sa tête tout près de la bouche puante et pleine de dents du Crocodile et le Crocodile l'attrapa par son petit nez qui jusqu'à cette semaine, ce jour, cette heure et cette minute n'avait pas été plus grand qu'une botte, mais beaucoup plus utile.

— Je crois, dit le Crocodile - et il le dit entre ses dents, comme ça - je crois qu'aujourd'hui, je vais commencer par un Enfant d'Éléphant !

En entendant cela, ô Mieux Aimée, l'Enfant d'Éléphant fut très embêté et dit, en parlant du nez, comme ça :

— Lâchez-boi ! Bous me faides bal !

Alors le Serpent-Python-bicolore-des-Rochers dégringola du haut de la berge et dit :

— Mon jeune ami, si maintenant, tout de suite et sans tarder, tu ne tires pas de toutes tes forces, je t'affirme que ton copain avec le manteau de cuir à grands motifs (il voulait parler du Crocodile) va te couler au fond de cette onde limpide avant que tu aies le temps de faire ouf !

Les Serpents-Pythons-bicolores-des-Rochers s'expriment toujours de cette façon.

Alors l'Enfant d'Éléphant s'assit sur son petit derrière et tira, tira, tira et son nez commença à s'allonger. Le Crocodile, lui, pataugeait dans l'eau qu'il faisait mousser à grands coups de queue et tirait, tirait, tirait de son côté.

Le nez de l'Enfant d'Éléphant ne cessait de s'allonger ; l'Enfant d'Éléphant s'arc-boutait sur ses quatre petites pattes et tirait, tirait, tirait et son nez continuait à s'allonger ; la queue du Crocodile battait l'eau comme une rame et il tirait, tirait, tirait ; à chaque secousse, le nez de l'Enfant d'Éléphant devenait plus long - et lui faisait plus mal !

Alors l'Enfant d'Éléphant sentit ses pattes déraper et dit, en parlant du nez - qui mesurait déjà près de cinq pieds de long :

— C'est drop bour boi !

Alors le Serpent-Python-bicolore-des-Rochers

descendit de la berge, se noua en deux demi-clefs autour des pattes arrière de l'Enfant d'Éléphant et dit :

— Impétueux voyageur inexpérimenté, il va falloir maintenant se concentrer sérieusement sur l'effort à fournir, sinon, je suis certain que ce guerrier autopropulsif avec pont supérieur blindé (et par ces mots, ô Mieux Aimée, il désignait le Crocodile) ruinera définitivement l'avenir de ta carrière.

Tous les Serpents-Pythons-bicolores-des-Rochers s'expriment toujours de cette façon.

Alors, il tira et l'Enfant d'Éléphant tira et le Crocodile tira ; mais l'Enfant d'Éléphant et le Serpent-Python-bicolore-des-Rochers tirèrent plus fort ; finalement, le Crocodile lâcha le nez de l'Enfant d'Éléphant et cela fit un plop ! que l'on entendit d'un bout à l'autre du Limpopo.

Alors l'Enfant d'Eléphant se retrouva brutalement assis par terre ; d'abord, il fit bien attention à dire « merci » au Serpent-Python-bicolore-des-Rochers ; ensuite, il s'occupa de son pauvre nez malmené, l'enveloppa dans des feuilles fraîches de bananier et le mit à tremper dans le grand Limpopo gris, gras, vert pour l'apaiser.

— Pourquoi fais-tu cela ? demanda le Serpent-Python-bicolore-des-Rochers.

— 'Scusez-moi, répondit l'Enfant d'Éléphant,

mais mon nez est tout déformé et j'attends qu'il rétrécisse.

— Alors, tu pourras attendre longtemps, dit le Serpent-Python-bicolore-des-Rochers. Il y a des gens qui ne savent pas ce qui est bon pour eux.

L'enfant d'Eléphant resta trois jours à attendre que son nez rétrécisse. Mais il ne raccourcissait pas du tout et en plus, il le faisait loucher. Parce que, ô Mieux Aimée, tu vas comprendre que le Crocodile, en tirant dessus, en avait fait une vraie trompe comme en ont tous les éléphants aujourd'hui.

À la fin du troisième jour, une mouche vint le piquer à l'épaule et avant de savoir ce qu'il faisait, il la tua net d'un bon coup de trompe.

— 'Vantage numéro un ! s'écria le Serpent-Python-bicolore-des-Rochers. Tu n'aurais pas pu faire cela avec ton bout de nez de rien du tout. Essaye de manger un peu maintenant.

Avant de réfléchir à ce qu'il faisait, l'Enfant d'Éléphant étendit sa trompe, arracha une grosse touffe d'herbe, l'épousseta contre ses pattes avant et la fourra dans sa bouche.

— 'Vantage numéro deux ! s'écria le Serpent-Python-bicolore-des-Rochers. Tu n'aurais pas pu faire cela avec ton bout de nez de rien du tout. Tu ne trouves pas que le soleil tape fort par ici ?

— Si, répondit l'Enfant d'Éléphant et avant de

réfléchir à ce qu'il faisait, il attrapa un gros tas de boue des berges du grand fleuve Limpopo gris, gras et vert qu'il s'envoya sur la tête, ce qui lui fit une bonne casquette bien fraîche qui lui dégoulinait derrière les oreilles.

— 'Vantage numéro trois ! s'écria le Serpent-Python-bicolore-des-Rochers. Tu n'aurais pas pu faire cela avec ton bout de nez de rien du tout. Et maintenant, as-tu encore envie de te faire cogner dessus ?

— 'Scusez-moi, répondit l'Enfant d'Éléphant, mais ça ne me plairait pas du tout.

— Ça te tenterait de cogner quelqu'un ? demanda le Serpent-Python-bicolore-des-Rochers.

— Ça me tenterait énormément, en effet, répondit l'Enfant d'Éléphant.

— Eh bien, dit le Serpent-Python-bicolore-des-Rochers, tu verras, ton nouveau nez te sera très utile pour cogner les gens.

— Merci, dit l'Enfant d'Éléphant, je m'en souviendrai ; et maintenant, je crois que je vais rentrer chez moi essayer sur ma chère famille.

Alors l'Enfant d'Éléphant repartit gaiement chez lui à travers l'Afrique, en agitant sa trompe. Quand il voulait manger un fruit, il le cueillait sur l'arbre au lieu d'attendre qu'il tombe comme il faisait avant. Quand il voulait manger de l'herbe, il l'arrachait du sol au lieu de s'agenouiller comme il faisait avant. Quand les mouches le mordaient, il cassait une branche d'arbre et s'en servait comme d'une tapette ; et quand le soleil tapait, il se fabriquait une nouvelle casquette de boue bien fraîche et bien molle. S'il se sentait seul en voyageant à travers l'Afrique, il chantait dans sa trompe et cela faisait plus de bruit que plusieurs orchestres réunis. Il s'offrit un détour spécial pour trouver un gros Hippopotame (qui n'était pas de sa famille) et tapa dessus très dur pour être sûr que le Serpent-Python-bicolore-des-Rochers lui avait dit la vérité au sujet de sa nouvelle trompe. Le reste du temps, il ramassait les écorces de melon qu'il avait laissées par terre en marchant vers le Limpopo - parce que c'était un Pachyderme ordonné.

Par une sombre soirée, il arriva dans sa chère famille ; il enroula sa trompe et dit :

— Comment allez-vous ?

Ils étaient très contents de le voir et répondirent aussitôt :

— Viens ici qu'on te cogne pour ton insatiable curiosité.

— Peuh ! répondit l'Enfant d'Éléphant, je pense que vous autres, vous ignorez tout de l'art de la raclée ; moi, je sais et je vais vous montrer.

Il déroula alors sa trompe et fit culbuter cul pardessus tête deux de ses chers frères.

— Par nos bananes ! s'écrièrent-ils, où as-tu appris cette ruse et qu'as-tu fait à ton nez ?

— Le Crocodile des berges du grand fleuve Limpopo gris, gras, vert m'en a offert un nouveau, répondit l'Enfant d'Éléphant. Je lui ai demandé ce qu'il mangeait à dîner et voilà le cadeau qu'il m'a fait.

— C'est très moche, dit son oncle poilu le Babouin.

— C'est vrai, répondit l'Enfant d'Éléphant, mais c'est très utile.

Et il attrapa son oncle poilu le Babouin par une de ses pattes poilues et le laissa tomber dans un nid d'abeilles.

Puis ce vilain Enfant d'Éléphant se mit à cogner longtemps toute sa chère famille, jusqu'à ce qu'ils soient bien échauffés et très étonnés. Il arracha les plumes de la queue de sa grande tante Autruche ; il attrapa son grand oncle Girafe par une patte arrière et le traîna dans un buisson d'épineux ; et sa grosse tante Hippopotame, il la réveilla en lui soufflant bruyamment des bulles dans l'oreille pendant qu'elle faisait la sieste dans l'eau ; mais il ne laissa jamais personne embêter l'oiseau Kolokolo.

La situation finit par s'envenimer à tel point que toute la chère famille fila à la queue leu leu jusqu'aux berges du grand fleuve Limpopo gris, gras, vert et tout bordé d'arbres de fièvre, pour emprunter de nouveaux nez au Crocodile.

Quand ils revinrent, personne ne tapa plus sur personne ; et depuis ce jour, ô Mieux Aimée, tous les Éléphants que tu verras, sans compter tous ceux que tu ne verras pas, ont des trompes exactement comme celle de l'insatiable Enfant d'Éléphant.

# Voici

l'Enfant d'Éléphant en train de se faire tirer le nez par le Crocodile. Il est très surpris, très étonné et il souffre beaucoup ; il parle du nez en disant : « Lâchez-boi ! Bous me faides bal ! » Il tire très fort et le Crocodile tout autant ; mais le Serpent-Python-bicolore-des-Rochers fonce dans l'eau pour venir en aide à l'Enfant d'Eléphant. Tout ce noir, ce sont les berges du grand fleuve Limpopo gris, gras, vert (mais je n'ai pas le droit de peindre ces dessins) et l'arbre en forme de bouteille avec les racines tordues et huit feuilles, c'est un des arbres de fièvre qui poussent là.

Sous le dessin réaliste, il y a des silhouettes d'animaux africains qu'on voit entrer dans une arche africaine. Ce sont deux lions, deux autruches, deux bœufs, deux chameaux, deux moutons et deux autres trucs qui ressemblent à des rats mais je crois que ce sont des lapins

de roche. Ils ne servent à rien. Je les ai mis là parce que je les trouvais jolis. Ils seraient vraiment réussis si j'avais eu le droit de les peindre.

Voici simplement un dessin de l'Enfant d'Eléphant qui s'apprête à cueillir des bananes sur un bananier après avoir gagné sa belle nouvelle trompe. Je ne trouve pas que ce soit un très beau dessin ; mais je n'ai pas pu faire mieux, parce que les éléphants et les bananes, c'est difficile à dessiner. Le fond noir marbré de blanc derrière l'Enfant d'Eléphant représente une région de marais bien détrempés quelque part en Afrique. L'Enfant d'Eléphant a fabriqué la plupart de ses gâteaux de boue à partir de la vase trouvée ici. Je crois que ce serait plus réussi si on peignait le bananier en vert et l'Enfant d'Eléphant en rouge.

J'ai à mon service six hommes honnêtes
(Ils m'ont appris tout ce que je sais) ;
Ils s'appellent Quoi, Pourquoi, Quand
Comment, Où et Qui.
Je les ai envoyés par monts et par vaux
Je les ai envoyés à l'ouest et à l'est ;
Mais après les avoir fait travailler,
Je leur ai accordé un repos.

Je les ai laissés se reposer de cinq à neuf,
Parce que c'est le moment où je suis occupé,
Je leur ai donné à déjeuner, goûter et souper
Parce que ce sont des hommes affamés ;
Mais tout est affaire de point de vue ;
Je connais une personne - de petite taille -
Elle a dix millions d'hommes à son service
Qui n'ont jamais droit de se reposer !
Elle les envoie au loin régler ses affaires,
À la seconde même où elle ouvre les yeux -
Un million de Comment, deux millions de Où
Et sept millions de Pourquoi !

# La complainte de Père Kangourou

Tel que nous le voyons aujourd'hui, le Kangourou n'a pas toujours été, mais un animal différent avec quatre courtes pattes ; il était gris, il était laineux et d'une fierté immodérée. Il dansa sur une butée au milieu de l'Australie et s'en alla voir le Petit Dieu Nqa.

Il rendit visite à Nqa à six heures, avant le petit-déjeuner, et lui dit :

— Rends-moi différent de tous les autres animaux avant cinq heures ce soir.

Nqa se leva d'un bond de son siège de sable et cria :

— Va-t-en !

Il était gris, il était laineux et d'une fierté immodérée : il dansa sur un rocher au milieu de l'Australie et s'en alla voir le Dieu Moyen Nquing.

Il rendit visite à Nquing à huit heures, après le petit-déjeuner, et lui dit :

— Rends-moi différent de tous les autres animaux ; en plus, fais de moi quelqu'un de délicieusement apprécié avant cinq heures ce soir.

Nquing jaillit d'un bond de son terrier dans le spinifex et cria :

— Va-t-en !

Il était gris, il était laineux et d'une fierté immodérée : il dansa sur un banc de sable au milieu de l'Australie et s'en alla voir le Grand Dieu Nqong.

Il rendit visite à Nqong à dix heures avant le déjeuner, et lui dit :

— Rends-moi différent de tous les autres animaux ; fais de moi quelqu'un d'apprécié et de délicieusement recherché avant cinq heures ce soir.

Nqong sortit d'un bond de son bain dans les puits-salants et cria :

— D'accord !

Nqong appela Dingo - Dingo Chien-Jaune - toujours affamé, couleur de poussière dans le soleil et lui montra Kangourou.

— Dingo ! cria Nqong. Réveille-toi, Dingo ! Tu vois ce monsieur qui danse sur la dune ? Il veut être apprécié et délicieusement recherché. Dingo, fais ce qu'il veut !

Dingo se leva d'un bond - Dingo Chien-Jaune - et dit :

— Quoi ? Ce chat-lapin ?

Et Dingo - Dingo Chien-Jaune - toujours affamé, aimable comme un seau à charbon, se mit à poursuivre Kangourou.

Kangourou le fier démarra au galop de ses quatre petites pattes de lapinou.

Voilà, ô ma Bien-Aimée, comment finit la première partie du conte !

Il courut à travers le désert ; il courut à travers les montagnes ; il courut à travers les marais salants ; il courut à travers les bouquets de roseaux ; il courut à travers les gommiers bleus ; il courut à travers le spinifex ; il courut à s'en arracher les pattes avant.

Il était bien obligé !

Et Dingo - Dingo Chien-Jaune - courut aussi, toujours affamé, aimable comme un piège à rat, ne s'approchant ni ne s'éloignant, courut après Kangourou.

Il était bien obligé !

Et Kangourou - Père Kangourou - courut encore. Il courut dans les ti-arbres ; il courut dans le mulga ; il courut dans l'herbe haute ; il courut dans l'herbe rase ; il courut le long du Tropique du Cancer et celui du Capricorne ; il courut à s'en arracher les pattes arrière.

Il était bien obligé !

Et Dingo - Dingo Chien-Jaune - courut aussi, de plus en plus affamé, aimable comme un harnais de cheval, ne s'approchant ni ne s'éloignant ; et ils arrivèrent à la rivière Wollgong.

Là, il n'y avait ni pont ni bac et Kangourou ne voyait pas comment franchir l'obstacle ; alors il se dressa sur ses pattes arrière et sauta.

Il était bien obligé !

Il sauta dans les Flinders ; il sauta dans les Cinders ; il sauta dans les déserts du centre de l'Australie. Il sauta comme un Kangourou.

D'abord, il sauta un mètre ; puis il en sauta trois ; puis cinq ; ses pattes devinrent plus fortes ; ses pattes devinrent plus longues. Il n'avait le temps ni de se reposer ni de se restaurer et pourtant, les deux lui faisaient très envie.

Et Dingo - Dingo Chien-Jaune - courait toujours, très perplexe et très affamé tout en se demandant ce qui, dans ce monde ou ailleurs, poussait Père Kangourou à sauter ainsi.

Parce qu'il sautait comme un criquet ; comme un petit pois dans la poêle ; ou comme une balle en caoutchouc toute neuve sur le sol d'une chambre d'enfant.

Il était bien obligé !

Il replia ses pattes avant ; il sauta sur ses pattes arrière ; il tendit sa queue pour faire balancier par derrière ; et il sauta dans les Darling Downs.

Il était bien obligé !

Et Dingo - Dingo Chien-Jaune - courut aussi, de plus en plus affamé, plongé dans la perplexité, en se demandant ce qui, dans ce monde ou ailleurs, allait arrêter Père Kangourou.

Alors Nqong sortit de son bain dans les puits-salants et dit :

— Il est cinq heures.

Dingo s'assit aussitôt - Dingo Pauvre-Chien - toujours affamé et tout poussiéreux dans le soleil ; la langue pendante, il se mit à hurler.

Kangourou s'assit aussitôt - Père Kangourou - déposa sa queue derrière lui comme un tabouret à traire et dit :

— Heureusement que c'est enfin terminé !

Alors Nqong, toujours courtois, dit :

— Pourquoi ne te montres-tu pas reconnaissant envers Dingo Chien-Jaune ? Pourquoi ne le remercies-tu pas pour tout ce qu'il a fait pour toi ?

Alors Kangourou - Père Kangourou Fatigué - répondit :

— Il m'a fait abandonner au grand galop les territoires de mon enfance ; il m'a fait abandonner au grand galop mes heures de repas régulières ; il a modifié ma silhouette à tel point que je ne redeviendrai plus jamais comme avant ; et il m'a bousillé les pattes.

Alors Nqong répondit :

— Je me suis peut-être trompé, mais ne m'as-tu pas demandé de te rendre différent de tous les autres animaux, et de faire que tu sois activement recherché ? Il est justement cinq heures.

— Oui, dit Kangourou, et je le regrette. Je pensais que tu allais agir à coups de charmes et d'incantations, mais voilà une vraie farce.

— Une farce ! s'exclama Nqong, plongé dans son bain sous les gommiers bleus. Répète ça encore une fois et je siffle Dingo ; tes pattes arrière n'y résisteront pas.

— Non, dit Kangourou. Je te prie de m'excuser. Les pattes sont les pattes et, à mon humble avis, elles n'exigent nulle retouche. Je voulais seulement expliquer à Ta Seigneurie que je n'ai rien mangé depuis ce matin et que je me sens le ventre vide.

— Oui, intervint Dingo - Dingo Chien-Jaune - je suis exactement dans la même situation. Je l'ai rendu différent de tous les autres animaux mais qu'est-ce qu'on va me donner pour mon goûter ?

Alors Nqong dit, depuis son bain dans les puits-salants :

— Vous viendrez m'en parler demain, parce que je vais me laver.

Ils se retrouvèrent donc au beau milieu de l'Australie, Père Kangourou et Dingo Chien-Jaune, chacun disant :

— C'est ta faute.

## Voici

un dessin de Père Kangourou quand il était un Animal Différent avec quatre courtes pattes. Je l'ai dessiné gris et laineux et on voit qu'il est très fier parce qu'il a une couronne de fleurs sur la tête. Il est en train de danser sur une butée (c'est-à-dire une avancée rocheuse) au beau milieu de l'Australie à six heures, avant de prendre son petit-déjeuner. On voit bien qu'il est six heures parce que le soleil se lève tout juste. Le truc avec des oreilles et la bouche ouverte, c'est le Petit Dieu Nqa. Nqa est très étonné, Nqa est en train de dire : « Va-t-en ! » mais le Kangourou est tellement absorbé dans sa danse qu'il ne l'a pas entendu.
Le Kangourou n'a pas vraiment de nom, si ce n'est Boomer. Il l'a perdu parce qu'il était trop fier.

# Voici la savoureuse chanson

De la course disputée par un Kangourou,
Une course d'un seul élan - événement unique en son genre -
Impulsée par le Grand Dieu Nqong
de Warrigaborrigarooma,
Père Kangourou en tête ; Dingo Chien-Jaune derrière.

Kangourou filait comme le vent,
Ses pattes marchaient comme des pistons –
Il sauta du matin jusqu'à la nuit,
Vingt-cinq pieds à chaque bond.
Loin derrière, Dingo Chien-Jaune
Ressemblait à un nuage jaune
- bien trop absorbé pour aboyer.
Oh ! Du chemin, ils en ont fait !

Personne ne sait où ils sont allés,
Personne n'a suivi leurs traces ailées,
Parce que le continent qu'ils ont traversé
N'a pas encore été nommé.
Ils ont parcouru trente degrés
Depuis Torres Straits jusqu'à Leeuwin
(Un coup d'œil à l'atlas,
s'il vous plaît),
Et retour par le même trajet.

Imaginons que tu puisses trotter
Depuis Adélaïde jusqu'au Pacifique,
Pour un après-midi de cavalcade -
La moitié de ce que firent ces messieurs -
Tu aurais bien trop chaud
Mais quelles magnifiques jambes d'athlète -
Oui, mon fils harcelant,
Tu serais un Merveilleux Gamin !

Voici

le Père Kangourou à cinq heures de l'après-midi, alors qu'il a déjà ses magnifiques pattes arrière, comme promis par le Grand Dieu Nqong. On voit qu'il est cinq heures parce que c'est ce qu'indique la pendule apprivoisée du Grand Dieu Nqong. Nqong est dans son bain, les doigts de pied en éventail. Le Père Kangourou se montre impoli envers Dingo Chien-Jaune. Dingo Chien-Jaune l'a poursuivi en vain d'un bout à l'autre de l'Australie. On distingue bien les traces des grands pieds tout neufs de Kangourou qui cavalent au-delà des collines désertiques. Dingo Chien-Jaune est dessiné en noir parce que je n'ai pas le droit de peindre ces dessins avec les vraies couleurs d'une boîte de peinture ; en plus, Dingo Chien-Jaune s'est retrouvé abominablement noir et poussiéreux après avoir couru dans tous les Flinders et Cinders.

Je ne connais pas le nom des fleurs qui poussent autour du bain de Nqong. Les deux petits machins accroupis dans le désert, ce sont les deux autres dieux auxquels s'était adressé le Père Kangourou plus tôt dans la matinée. Le truc sur lequel il y a quelque chose d'écrit, c'est la poche du Père Kangourou. Il fallait bien qu'il ait une poche, tout comme il devait avoir des pattes.

# Le début des Tatous

Voilà, ô Mieux Aimée, une autre histoire des Temps Lointains et Reculés. Au beau milieu de cette époque, il y avait un Hérisson Pique-Pointe ; il vivait sur les berges de la trouble Amazone, se nourrissant d'escargots et autres coquilles. Et il avait une amie, une Tortue Lourde-Lente qui vivait sur les berges de la trouble Amazone, se nourrissant de laitue et autres verdures. Et donc tout allait bien, n'est-ce pas, Mieux Aimée ?

Mais à la même époque, dans ces Temps Lointains et Reculés, il y avait un Jaguar Tacheté ; il vivait lui aussi sur les berges de la trouble Amazone et se nourrissait de tout ce qu'il pouvait attraper. S'il manquait de cerfs ou de singes, il se contentait de grenouilles et de scarabées ; et s'il n'y avait ni grenouilles ni scarabées, il allait voir Maman Jaguar pour qu'elle lui apprenne à manger les hérissons et les tortues.

Maintes fois, elle lui avait répété en ondulant gracieusement de la queue :

— Mon fils, si tu trouves un Hérisson, jette-le aussitôt dans l'eau pour qu'il se déroule ; et si tu attrapes une Tortue, utilise ta patte comme une cuillère pour la sortir de sa carapace.

Et donc, tout allait bien, Mieux Aimée.

Par une belle nuit, sur les berges de la trouble Amazone, Jaguar Tacheté découvrit Hérisson Pique-Pointe et Tortue Lourde-Lente, installés contre un tronc d'arbre tombé à terre. Comme il leur était impossible de s'enfuir, Pique-Pointe se mit en boule puisqu'il était un Hérisson et Lourde-Lente rentra pattes et tête le plus loin possible au fond de sa carapace, parce qu'elle était une Tortue ; et donc, tout allait bien, Mieux Aimée. Tu es d'accord ?

— Maintenant, écoutez-moi bien, déclara Jaguar Tacheté, c'est très important. Ma mère a dit que si je rencontrais un Hérisson, je devais le jeter à l'eau pour qu'il s'aplatisse ; et si je rencontrais une Tortue, il fallait que j'utilise ma patte comme une cuillère pour la sortir de sa carapace. Mais de vous deux, qui est le Hérisson et qui est la Tortue ? Parce que, par toutes mes taches, je n'en ai pas la moindre idée.

— Tu es sûr de ce que t'a expliqué ta mère ? demanda Hérisson Pique-Pointe. Tout à fait sûr ? Peut-être a-t-elle dit que pour aplatir une Tortue, il faut la sortir de l'eau avec une cuillère et que pour s'emparer d'un Hérisson, il faut le renverser côté carapace ?

— Tu es sûr de ce que t'a expliqué ta mère ? demanda Tortue Lourde-Lente. Tout à fait sûr ? Peut-être a-t-elle dit que pour arroser un Hérisson, il faut le faire tomber dans ta patte et quand tu croises une Tortue, il faut la décarcasser pour qu'elle s'aplatisse ?

— Je crois que ce n'était pas du tout comme ça, répondit Jaguar Tacheté mais il se sentait assez inquiet ; s'il vous plaît, pourriez-vous répéter cela plus clairement ?

— Pour recueillir de l'eau dans le creux de ta patte, il faut l'aplatir avec un Hérisson, dit Pique-Pointe. N'oublie jamais cela, c'est important.

— Mais, dit la Tortue, pour t'emparer de ta proie, tu dois la faire tomber dans une Tortue avec une cuillère. Tu ne comprends donc rien ?

— Vous me faites mal aux taches, se plaignit Jaguar Tacheté. En plus, je n'ai pas besoin de vos conseils. Je voulais seulement savoir lequel d'entre vous est le Hérisson et lequel la Tortue.

— Je ne te le dirai pas, répondit Pique-Pointe. Mais si ça te tente, tu peux me sortir de ma coquille avec ta patte.

— Ha ! Ha ! dit Jaguar Tacheté. Maintenant, je sais

que tu es une Tortue. Tu as cru que je ne comprendrais pas ! Eh bien, je vais le faire.

Jaguar Tacheté lança sa patte à coussinets juste au moment où Pique-Pointe s'enroulait sur lui-même et, évidemment, les coussinets de Jaguar se retrouvèrent hérissés de piquants. Pire encore, Jaguar envoya Pique-Pointe au fin fond des buissons, où il faisait bien trop sombre pour le retrouver. Il fourra ensuite sa patte à coussinets dans sa gueule et bien sûr, la douleur des piquants ne fit qu'augmenter. Dès qu'il put parler, il dit :

— Maintenant, je sais que ce n'est pas du tout une Tortue. Mais ( il se gratta la tête avec sa patte intacte) comment savoir que l'autre, là, est une Tortue ?

— Mais je suis une Tortue, affirma Lourde-Lente. Ta mère avait bien raison. Elle t'a conseillé de me sortir de ma carapace avec ta patte en cuillère. Vas-y.

— Il y a une minute, ce n'est pas ce que tu as dit qu'elle avait dit, déclara Jaguar Tacheté en suçant sa patte douillette pour en ôter les piquants. Tu as dit qu'elle avait dit quelque chose de très différent.

— Bon, supposons que tu dises que j'ai dit qu'elle avait dit quelque chose de très différent, je ne vois pas où est le problème, parce si elle a dit ce que tu dis que j'ai dit qu'elle a dit, c'est exactement la même chose que si j'ai dit ce qu'elle a dit qu'elle avait dit.

D'autre part, si tu crois qu'elle a dit qu'il fallait que tu me déroules avec une cuillère, au lieu de me réduire en hachis avec ma carapace, je ne peux rien y faire, d'accord ?

— Mais tu as dit que tu voulais que je t'enlève de ta carapace avec ma patte, dit Jaguar Tacheté.

— Si tu veux bien réfléchir, tu comprendras que je n'ai rien dit de la sorte. J'ai dit que ta mère avait dit que tu devais me faire sortir de ma carapace, dit Lourde-Lente.

— Et que se passera-t-il dans ce cas ? dit le Jaguar, des plus renifleurs et des plus méfiants.

— Je ne sais pas, parce que on ne m'a encore jamais retiré de ma carapace ; mais je vais être franche avec toi, si tu veux me voir partir à la nage, tu n'as qu'à me jeter à l'eau.

— Je ne te crois pas, dit Jaguar Tacheté. À cause de vous, toutes les choses que ma mère m'a dit de faire se mélangent avec toutes celles dont vous m'avez demandé si j'étais sûr qu'elle ne me les avait pas dites, à tel point que je ne sais plus si je marche sur la tête ou sur ma queue tachetée ; et maintenant, tu viens m'expliquer quelque chose que je suis capable de comprendre, et ça m'embrouille encore plus qu'avant. Ma mère m'a dit de jeter l'un de vous à l'eau et comme tu as l'air particulièrement impatiente d'être jetée à l'eau, j'en conclus que tu ne veux pas y aller.

Donc, saute dans la trouble Amazone et finissons-en.

— Je te préviens que ta maman ne sera pas contente. Ne va pas lui raconter que je ne t'ai pas prévenu, dit Lourde-Lente.

— Si tu parles encore une fois de ce que ma mère a dit…, commença Jaguar mais il n'eut pas le temps de finir sa phrase que déjà Lourde-Lente plongeait tranquillement dans la trouble Amazone, nageait sous l'eau un long moment et ressortait sur l'autre rive où l'attendait Pique-Pointe.

— On l'a échappé belle, dit Pique-Pointe. Je n'aime pas Jaguar Tacheté. Qui lui as-tu dit que tu étais ?

— Je lui ai honnêtement dit que j'étais une honnête Tortue, mais il ne m'a pas crue ; il m'a fait sauter à l'eau pour voir si c'était vrai, et ça l'était, alors il était étonné. Maintenant, il est parti raconter ça à sa maman. Écoute-le !

Ils entendirent Jaguar Tacheté rugir au milieu des arbres et des buissons qui bordaient la trouble Amazone jusqu'à ce que sa maman arrive.

— Mon fils ! Mon fils ! répéta sa mère à maintes reprises en ondulant gracieusement de la queue, qu'as-tu donc fait que tu n'aurais pas dû ?

— J'ai voulu attraper avec ma patte quelque chose qui voulait qu'on le sorte de sa carapace, et ma patte est toute pleine de piq… de piquants, dit Jaguar Tacheté.

— Mon fils ! Mon fils ! répéta sa mère à maintes reprises en ondulant gracieusement de la queue, à voir les piquants dans tes coussinets, il s'agit évidemment d'un Hérisson. Tu aurais dû le jeter à l'eau.

— C'est ce que j'ai fait à l'autre truc qui affirmait être une Tortue, je ne l'ai pas cru et pourtant c'était vrai; elle a plongé dans la trouble Amazone et elle n'a plus réapparu et moi je n'ai rien du tout à manger et je crois qu'on ferait mieux d'aller s'installer ailleurs. Pauvre de moi, ils sont trop malins sur les bords de la trouble Amazone !

— Mon fils ! Mon fils ! répéta sa mère à maintes reprises en ondulant gracieusement de la queue, maintenant tu vas m'écouter et ne pas oublier ce que je te dis. Dès qu'un Hérisson se roule en boule, ses piquants sortent de tous les côtés. C'est ainsi qu'on peut reconnaître un Hérisson.

— Je n'aime pas cette vieille dame, déclara Pique-Pointe, à l'ombre d'une grande feuille. Je me demande bien ce qu'elle sait encore.

— Une Tortue ne peut pas se mettre en boule, répéta Maman Jaguar à maintes reprises en ondulant gracieusement de la queue. Elle ne peut que rentrer la tête et les pattes dans sa carapace. C'est ainsi qu'on peut reconnaître une Tortue.

— Je n'aime pas du tout du tout cette vieille dame, déclara Lourde-Lente. Même Jaguar Tacheté ne va

pas oublier ces indications. Quel dommage que tu ne saches pas nager, Pique-Pointe !

— Ne m'en parle pas ! répondit Pique-Pointe. Et pense comme tout s'arrangerait si tu savais te rouler en boule. Quel bazar ! Écoute donc Jaguar Tacheté.

Jaguar Tacheté, installé au bord de la trouble Amazone, se suçait les pattes pour en ôter les piquants et répétait :

— Si ça ne s'enroule pas, ça nage
C'est elle, Lourde-Lente !
Si ça ne nage pas, ça s'enroule
C'est lui, Pique-Pointe !

— Pour qu'il oublie ça, on repassera la semaine des quatre jeudis ! déclara Pique-Pointe. Tiens-moi sous le menton, Lourde-Lente, je vais essayer d'apprendre à nager. Ça peut être utile.

— Excellent ! s'exclama Lourde-Lente en tenant Pique-Pointe par le menton pendant que celui-ci battait des pattes dans les eaux de la trouble Amazone. Tu feras un très bon nageur, ajouta-t-elle. Maintenant, si tu desserrais un peu mes plaques dorsales, j'essayerais volontiers de me mettre en boule. Ça peut être utile.

Pique-Pointe desserra les plaques dorsales de Tortue, si bien qu'à force de se contorsionner et de se déformer, Lourde-Lente réussit effectivement à se mettre un tout petit peu en boule.

— Excellent ! dit Pique-Pointe, mais si j'étais toi, je n'en ferais pas davantage pour l'instant. Tu as le visage tout bleu. Si tu veux bien avoir la gentillesse de me ramener dans l'eau, je vais m'entraîner à faire cette brasse coulée tellement facile d'après toi.

Et donc Pique-Pointe s'entraîna tandis que Lourde-Lente nageait à ses côtés.

— Excellent ! s'exclama Lourde-Lente. Encore quelques efforts et tu seras une vraie baleine. Maintenant, si tu veux bien te donner la peine de desserrer mes plaques dorsales et ventrales deux trous de plus, je vais essayer cette flexion incroyable et tellement simple d'après toi. C'est Jaguar Tacheté qui va être étonné !

— Excellent ! dit Pique-Pointe, tout mouillé de son bain dans la trouble Amazone. Je t'assure, on te prend vraiment pour un membre de la famille. Tu m'as bien dit deux trous ? L'air un peu plus convaincu, s'il te plaît, et ne grogne pas si fort, sinon Jaguar Tacheté va nous entendre ! Quand tu auras fini, j'essayerai de plonger profond, puisque c'est simple d'après toi. C'est Jaguar Tacheté qui va être étonné !

Et donc Pique-Pointe plongea, Lourde-Lente plongeant derrière lui.

— Excellent ! dit Lourde-Lente. Applique-toi à retenir un peu mieux ton souffle et te voilà prêt à emménager au fond de la trouble Amazone.

Maintenant, je vais m'exercer à enrouler mes pattes arrière autour de mes oreilles, ce qui d'après toi, est particulièrement confortable. C'est Jaguar Tacheté qui va être étonné !

— Excellent ! dit Pique-Pointe. Mais ça a un peu déformé tes plaques dorsales. Elles se chevauchent toutes maintenant, au lieu d'être bien alignées.

— Oh, c'est le résultat de mon entraînement, dit Lourde-Lente. J'ai remarqué que tes piquants paraissent tout emmêlés et plus ça va, plus tu ressembles à une pomme de pin plutôt qu'à une châtaigne, comme avant.

— Ah bon ? dit Pique-Pointe. C'est à force de mariner. Oh, c'est Jaguar Tacheté qui va être étonné !

Ils continuèrent leur entraînement jusqu'au matin, en s'aidant mutuellement ; et lorsque le soleil fut haut dans le ciel, ils s'allongèrent pour se faire sécher. Ils s'aperçurent alors qu'ils étaient tous les deux bien différents de ce qu'ils avaient été.

— Pique-Pointe, dit la Tortue après le petit-déjeuner, je ne suis plus ce que j'étais hier ; mais je crois que je peux encore m'amuser de Jaguar Tacheté.

— C'était exactement ce que j'étais en train de penser, répondit Pique-Pointe. Les écailles représentent un progrès considérable par rapport aux piquants - sans parler du fait de savoir nager. Oh ! Jaguar Tacheté va être sacrément étonné ! Allons donc le chercher.

Ils finirent par le trouver, toujours occupé à soigner ses coussinets bien abîmés depuis la veille. Il fut si surpris de les voir qu'il tomba trois fois de suite sur sa queue tachetée sans pouvoir s'arrêter.

— Bonjour ! dit Pique-Pointe. Comment va ta charmante chère maman ce matin ?

— Elle va très bien, merci, répondit Jaguar Tacheté ; mais il faut me pardonner, là tout de suite, je ne me souviens plus de vos noms.

— Ce n'est pas très gentil de ta part, dit Pique-Pointe, étant donné que hier à la même heure, tu as tenté de m'arracher de ma carapace d'un coup de patte.

— Mais tu n'avais pas de carapace. Tu n'avais que des piquants, répliqua Jaguar Tacheté. Je le sais très bien. Regarde donc ma patte !

— Tu m'as dit d'aller me jeter dans la trouble Amazone et de m'y noyer, dit Lourde-Lente. Pourquoi aujourd'hui te montres-tu si grossier et si étourdi ?

— Tu ne te souviens pas de ce que t'a dit ta mère ? demanda Pique-Pointe ;

Si ça ne s'enroule pas, ça nage
C'est elle, Lourde-Lente !
Si ça ne nage pas, ça s'enroule
C'est lui, Pique-Pointe !

Alors ils se mirent tous deux en boule et roulèrent roulèrent roulèrent autour de Jaguar Tacheté jusqu'à ce que les yeux lui sortent carrément de la tête.

Après quoi, il partit à la recherche de sa mère.

— Maman, il y a deux nouveaux animaux dans les bois, et celui dont tu disais qu'il ne savait pas nager, nage, et celui dont tu disais qu'il ne pouvait pas s'enrouler sur lui-même, s'enroule ; et ils ont dû se partager les piquants, je crois, parce qu'ils sont couverts d'écailles tous les deux, au lieu qu'il y en ait un lisse et un tout hérissé ; et en plus de ça, ils n'arrêtent pas de tourner autour de moi et je ne me sens pas bien du tout.

— Mon fils ! Mon fils ! répéta sa mère à maintes reprises en ondulant gracieusement de la queue, un Hérisson est un Hérisson ; une Tortue est une Tortue et ne peut être rien d'autre.

— Mais ce n'est pas un Hérisson et ce n'est pas une Tortue. C'est un peu des deux, et je ne sais pas comment ça s'appelle.

— Sottises ! dit Maman Jaguar. Tout a un nom. Si j'étais toi, je les appelerais « Tatou » jusqu'à ce que je découvre leur vrai nom. Et en attendant, je ne m'en occuperais plus.

Jaguar Tacheté obéit donc, prenant surtout garde à les laisser tranquilles ; mais ce qu'il y a de curieux, c'est que, depuis ce jour-là, ô Mieux Aimée, personne sur les berges de la trouble Amazone n'a plus jamais appelé Pique-Pointe et Lourde-Lente autrement que Tatou. Ailleurs, naturellement, il y a des Hérissons et des Tortues (et même dans mon jardin) ; mais les vieux de la vieille tellement malins, avec leurs écailles qui se chevauchent ric-rac comme celles d'une pomme de pin, ceux qui vivaient sur les berges de la trouble Amazone dans les Temps Lointains et Reculés, on les appelle toujours Tatous, parce qu'ils étaient si malins.

Donc, tout va bien, Mieux Aimée. D'accord ?

# Voici

une plaisante carte de la trouble Amazone dessinée en rouge et noir. Elle n'a rien à voir avec l'histoire, si ce n'est qu'on y voit deux Tatous - tout en haut. Le côté plaisant, ce sont les aventures qu'ont vécues les hommes qui ont suivi la route soulignée de rouge. Lorsque j'ai commencé la carte, j'avais l'intention de dessiner deux Tatous, et aussi des mainates, des singes à queue d'araignée, des gros serpents et beaucoup de Jaguars, mais c'était beaucoup plus plaisant de peindre la carte et ces aventures risquées en rouge. On démarre dans le coin en bas à gauche, on suit l'ensemble des petites flèches et on fait le tour pour se retrouver là où ces aventureux personnages sont repartis chez eux à bord d'un navire qui s'appelait *Le Tigre royal.* C'est une image des plus aventureuses, et toutes les aventures sont racontées par écrit, afin d'être bien certain de ne pas confondre une aventure avec un arbre ou un bateau.

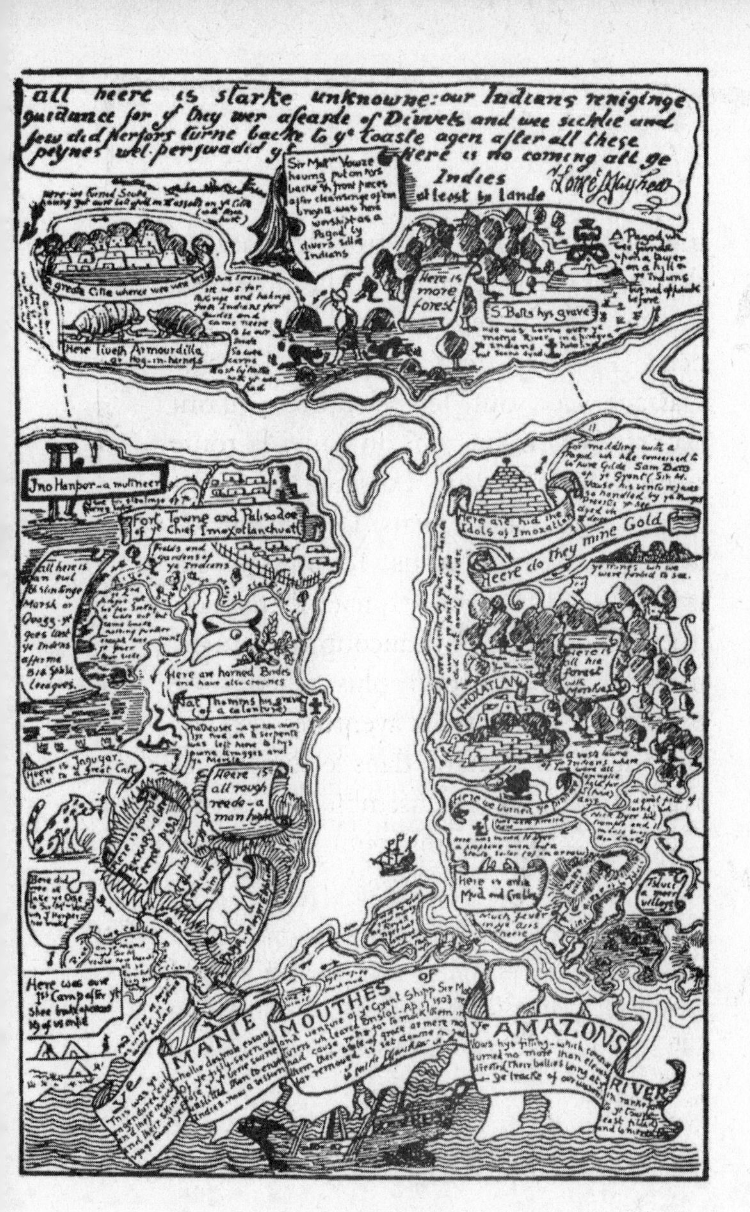

all heere is starke unknowne: our Indians reniginge guidance for yt they wer afearde of Divels and wee sicklie and few did Persons turne backe to ye coaste agen after all these peynes wel-perswadid yt here is no coming att ye Indies at least by lande
Lance Mayhew
Sir Matt Vowze having put on hys backe ye front peces after cleansinge of em was here worshipt as a Pagod by divers silie Indians
A Pagod wh wee founde upon a hyll
Here is more forest
S. Batts hys grave
Here liveth Armourdilla or hog-in-harness
Jno Harper - a mutineer
Fort Towne and Palisadoe of ye Chief Imoxotlanchuatl
Fields and gardens of ye Indians
All here is an evil stinkinge Marsh or Quagg
Here are horned Birdes and have also crownes
Nat Thomms his grave (of a calenture)
Here is Jaguar like to a great Cat
Heere is all rough reede - a man high
Here are hid the Idols of Imozatlan
Heere do they mine Gold
Imozatlan
Here is forest
Here we burnt ye Pagods
Here is all Mud and Crabbs
Here was our 1st Camp after ye shee boate
Ye MANIE MOUTHES of Ye AMAZONS RIVER

Voici

un dessin qui représente l'histoire du Jaguar, du Hérisson, de la Tortue et du Tatou, tout ça en tas. Quel que soit le sens dans lequel on le regarde, c'est du pareil au même. La Tortue est au centre et apprend à s'enrouler sur elle-même, ce qui explique pourquoi ses plaques dorsales sont aussi écartées. Elle est debout sur le Hérisson qui attend d'apprendre à nager. Le Hérisson est un Hérisson japonisant, parce que je n'ai pas réussi à trouver nos propres Hérissons dans le jardin quand j'ai voulu le dessiner (c'était pendant la journée et ils étaient partis dormir sous les dahlias). Jaguar Tacheté jette un œil par audessus, avec sa patte à coussinets soigneusement bandée par sa mère, parce qu'il s'est piqué en voulant attraper Hérisson. Il est très surpris de ce que fait la Tortue et il a très mal à la patte. Le truc avec un museau et des petits yeux sur lequel Jaguar Tacheté essaye de grimper, c'est le Tatou, à quoi ressembleront la Tortue et le Hérisson quand ils auront fini de se mettre en boule et de nager. C'est une image absolument magique, et c'est une des raisons pour lesquelles je n'ai pas dessiné les moustaches du Jaguar. L'autre raison, c'est qu'il était tellement jeune que ses moustaches n'avaient pas encore poussé. La maman du Jaguar le surnommait Doffles.

Je n'ai jamais navigué sur l'Amazone,
Je ne suis jamais allé jusqu'au Brésil ;
Mais le *Don* et la *Magdalena*,
Ils y vont quand ils veulent !

Oui, toutes les semaines, de Southampton,
De grands paquebots, blancs et dorés,
Voguent sur les vagues jusqu'à Rio
(Vogue... vogue jusqu'à Rio !)
Et moi, j'aimerais bien voguer jusqu'à Rio
Un jour, avant d'être trop vieux !

Je n'ai jamais vu de Jaguar
Pas plus que de Tatou -
Éblouissant dans son armure
Et je n'en verrai sans doute jamais,

À moins d'aller à Rio
Pour apercevoir ces merveilles -
Vogue… vogue jusqu'à Rio
Vogue sur les vagues jusqu'à Rio !
Oh, j'aimerais bien voguer jusqu'à Rio
Un jour, avant d'être trop vieux !

# Comment on écrivit la première lettre

Il était une fois il y a très longtemps un homme du Néolithique. Ce n'était ni un Jute ni un Angle ni même un Dravidien, ce qu'il aurait pu fort bien être, Mieux Aimée, mais peu importe. C'était un Primitif et il vivait petitement dans une grotte, il portait fort peu de vêtements, il ne savait ni lire ni écrire et ça ne l'intéressait pas, et, sauf quand il avait faim, il était plutôt heureux. Il s'appelait Tegumai Bopsulai, ce qui signifie : « l'Homme-qui-ne-veut-pas-mettre-un-pied-devant-l'autre-trop-vite » ; mais nous, ô Mieux Aimée, nous l'appellerons simplement Tegumai, pour faire court. Et sa femme s'appelait Teshumai Tewindrow, ce qui signifie : « la Dame-qui-pose-beaucoup-de-questions » ; mais nous, ô Mieux Aimée, nous l'appellerons Teshumai, pour faire

court. Et sa petite fille s'appelait Taffimai Metallumai, ce qui signifie « Petite-personne-mal-élevée-qui-mérite-une-fessée » ; mais je vais l'appeler Taffy. Et elle était la Mieux Aimée de Tegumai Bopsulai et la Mieux Aimée de sa Maman, et question fessées, elle n'en recevait pas la moitié de ce qui aurait été bon pour elle ; ils étaient tous les trois très heureux. Dès que Taffy fut assez grande pour courir partout, elle ne quitta plus son papa Tegumai et parfois, ils ne revenaient à la Grotte que lorsqu'ils étaient affamés et alors Teshumai Tewindrow disait :

— Mais où avez-vous donc traîné tous les deux, pour être aussi abominablement sales ? Vraiment, mon Tegumai, tu ne vaux pas mieux que ma Taffy.

Maintenant, écoute bien !

Un jour, Tegumai Bopsulai traversa le marais aux castors pour aller jusqu'à la rivière Wagai harponner une carpe pour le dîner et Taffy l'accompagnait. Le harpon de Tegumai était en bois avec des dents de requin au bout et avant d'avoir pu attraper le moindre poisson, il le cassa net, accidentellement, en le plantant trop brutalement dans le fond de la rivière. Ils étaient à des kilomètres et des kilomètres de chez eux (ils avaient évidemment emporté leur déjeuner dans un petit sac) et Tegumai avait oublié de prendre un harpon de rechange.

— Nous voilà mal partis ! s'écria Tegumai. Il va me falloir une demi-journée pour réparer ça.

— On a un gros harpon noir à la maison, dit Taffy. Laisse-moi courir jusqu'à la Grotte et maman me le donnera.

— C'est trop loin pour tes petites jambes dodues, répondit Tegumai. En plus, tu risques de tomber dans le marais aux castors et de te noyer. Il va falloir s'en sortir avec les moyens du bord.

Il s'assit et sortit une bourse à raccommodage en peau, remplie de tendons de renne et de lacets en cuir, de morceaux de cire d'abeille et de résine, et il entreprit de réparer le harpon. Taffy s'assit elle aussi, les orteils dans l'eau et le menton dans la main. Elle se mit à réfléchir profondément. Puis elle dit :

— Écoute, papa, c'est vraiment casse-pieds que toi et moi, on ne sache pas écrire, tu ne trouves pas ? Si on savait écrire, on aurait pu envoyer un message pour récupérer l'autre harpon.

— Taffy, répondit Tegumai, combien de fois t'ai-je répété de ne pas employer de gros mots ? « Casse-pieds » n'est pas un joli mot - mais ce serait bien pratique, tu as raison, si on pouvait écrire chez nous.

Juste à ce moment-là, un Étranger vint à passer le long de la rivière, mais il appartenait à une lointaine tribu, les Tewaras, et il ne comprenait pas un mot de la langue de Tegumai. Il s'arrêta sur la berge et sourit

à Taffy, parce que chez lui, il avait aussi une petite fille. Tegumai prit un écheveau de tendons de renne dans sa bourse et se mit à raccommoder son harpon.

— Venez ! dit Taffy. Savez-vous où habite ma maman ?

— Hum ! répondit l'Étranger puisque, comme tu le sais, il était Tewara.

— Trop bête ! s'exclama Taffy.

Et elle tapa du pied parce qu'elle voyait tout un banc de grosses carpes remonter le courant alors même que son papa n'avait pas de harpon à sa disposition.

— N'embête pas les adultes, dit Tegumai, tellement absorbé dans ses réparations qu'il ne tourna même pas la tête.

— Je ne l'embête pas, dit Taffy, je veux seulement qu'il fasse ce que je veux qu'il fasse et il ne comprend pas.

— Ne m'embête pas non plus, répliqua Tegumai.

Il recommença à pousser et tirer sur les tendons de renne, la bouche pleine de bouts et de morceaux. L'Étranger - c'était un authentique Tewara - s'assit dans l'herbe et Taffy lui montra ce que son père était en train de faire. L'Étranger pensa : « Quelle merveilleuse enfant. Elle tape du pied et elle me fait des grimaces. Elle doit être la fille de ce noble Chef qui est si puissant qu'il ne me remarque même pas.»

Il se mit donc à sourire encore plus poliment qu'avant.

— Bon, reprit Taffy, je veux que vous alliez voir maman, parce que vos jambes sont plus longues que les miennes, et vous ne tomberez pas dans le marais aux castors et vous demanderez l'autre harpon de papa - celui avec un manche noir qui est pendu au-dessus de la cheminée.

L'Étranger (*et* c'était un Tewara) pensa : « Voilà une enfant vraiment merveilleuse. Elle agite les bras et elle me crie au nez, mais je ne comprends pas un mot de ce qu'elle dit. Mais si je ne fais pas ce qu'elle veut, j'ai très peur que ce Chef arrogant, l'Homme-qui-tourne-le-dos-aux Visiteurs, se fâche. »

Il se leva et sur le tronc d'un bouleau, arracha un grand morceau d'écorce qu'il offrit à Taffy. Il fit cela, Mieux Aimée, pour montrer que son cœur était aussi blanc que l'écorce de bouleau et qu'il n'avait que des bonnes intentions ; mais Taffy n'y comprit pas grand-chose.

— Oh ! dit-elle. Je vois ! Vous voulez que je vous donne l'adresse de maman ? Évidemment, je ne sais pas écrire, mais je peux dessiner si j'ai quelque chose de pointu. Prêtez-moi donc la dent de requin de votre collier.

L'Étranger (et *c*'était un Tewara) ne dit rien ; Taffy tira avec sa petite main sur le beau collier de perles et

de graines avec un pendentif en dent de requin qu'il portait autour du cou.

L'Étranger (et c'*était* un Tewara) pensa : « Quelle enfant vraiment vraiment merveilleuse. La dent de requin de mon collier est une dent de requin magique et on m'a toujours dit que si quelqu'un y touchait sans ma permission, il se mettrait aussitôt à gonfler ou à éclater. Mais cette enfant ne gonfle ni n'éclate et ce Chef important, l'Homme-qui-s'occupe-strictement-de-ses-affaires, qui n'a pas encore remarqué ma présence, n'a pas l'air de craindre qu'elle gonfle ou qu'elle éclate. Je ferais mieux d'être encore plus poli. »

Il donna donc à Taffy la dent de requin et elle s'allongea à plat ventre, les jambes repliées, comme certaine personne que je connais quand elle veut dessiner par terre dans le salon, et elle dit :

— Je vais vous faire des très beaux dessins ! Vous pouvez regarder par-dessus mon épaule, mais interdit de me pousser. D'abord, je dessine papa en train de pêcher. Ça n'est pas très ressemblant ; mais maman comprendra, parce que j'ai dessiné le harpon tout cassé. Bon, maintenant je passe à l'autre harpon, celui qu'il veut avec le manche noir. On dirait qu'il a transpercé le dos de papa, mais ça, c'est parce que la dent de requin a glissé et ce morceau d'écorce n'est pas assez grand. Voilà le harpon que je veux que vous alliez chercher ; je vais aussi faire un dessin de moi en train de vous donner des explications. Mes cheveux ne sont pas dressés comme ce que je viens de dessiner, mais c'est plus facile comme ça. Maintenant, je vous dessine, vous. Je trouve que vous êtes très beau, mais je ne sais pas le faire, alors ne soyez pas vexé. Vous êtes vexé ?

L'Étranger (et c'était *un* Tewara) sourit. Il pensa : « Il va sûrement y avoir quelque part une grosse bataille et cette extraordinaire enfant, qui prend ma dent de requin magique mais qui n'enfle ni n'éclate, me demande de rassembler toute la tribu du grand Chef pour lui venir en aide. C'est forcément un grand Chef, sinon il m'aurait remarqué. »

— Écoutez, dit Taffy en dessinant avec ardeur et force éraflures, je vous ai dessiné, j'ai mis le harpon que papa veut dans votre main, juste pour que vous n'oubliez pas de le rapporter. Maintenant, je vais vous montrer comment trouver l'endroit où vit maman. Vous allez tout droit jusqu'à ce qu'il y ait deux arbres (voilà les arbres) et ensuite vous franchissez une colline (voilà la colline) et là, vous arrivez dans un marais aux castors plein de castors. Je n'ai pas mis tous les castors, parce que je ne sais pas les dessiner, mais j'ai fait leurs têtes et c'est tout ce que vous verrez d'eux en traversant le marais. Attention à ne pas tomber dedans ! Notre Grotte est juste après

le marais aux castors. En vrai, elle n'est pas aussi grande que les collines, mais je ne sais pas dessiner ce qui est petit. Dehors, c'est ma maman. Elle est belle. C'est la plus belle de toutes les mamans, mais elle sera pas vexée quand elle verra que je l'ai dessinée aussi moche. Elle sera fière de voir que je sais dessiner. Maintenant, au cas où vous oublieriez, j'ai dessiné le harpon que papa veut devant notre Grotte. En vrai, il est à l'intérieur, mais montrez le dessin à maman et elle vous le donnera. Je l'ai représentée les mains levées parce que je sais qu'elle sera très contente de vous voir. C'est pas un beau dessin ? Et vous avez bien tout compris ou il faut que je recommence ?

L'Étranger (et c'était un *Tewara*) regarda le dessin en hochant vigoureusement la tête. Il se dit : « Si je ne vais pas chercher la tribu de ce grand Chef pour qu'elle lui vienne en aide, il sera tué par ses ennemis qui arrivent de toutes parts avec des lances. Maintenant, je comprends pourquoi le grand Chef a fait mine de ne pas me remarquer ! Il craint que ses ennemis, cachés dans les buissons, le voient me remettre un message. Donc, il me tourne le dos et laisse cette merveilleuse enfant, d'une si grande sagesse, dessiner ce terrible dessin pour m'expliquer ses difficultés. Je vais aller lui chercher de l'aide auprès de sa tribu. »

Il ne demanda même pas le chemin à Taffy mais

fonça dans les buissons comme le vent, l'écorce de bouleau à la main, et Taffy se rassit, très satisfaite.

Voici le dessin que Taffy lui a fait !

— Qu'est-ce que tu fabriquais, Taffy ? demanda Tegumai.

Il avait réparé son harpon et le faisait osciller avec précaution.

— J'ai pris une petite initiative, papa chéri, répondit Taffy. Si tu ne me poses pas de questions, tu sauras tout dans peu de temps et tu vas être surpris. Tu n'imagines pas à quel point tu vas être surpris, Papa ! Promets-moi d'être surpris !

— Très bien, dit Tegumai et il reprit sa pêche.

L'Étranger - savais-tu que c'était un Tewara ? - courut pendant plusieurs kilomètres avec le dessin jusqu'à ce que, tout à fait par hasard, il tombe sur Teshumai Tewindrow à la porte de sa Grotte en train de bavarder avec d'autres dames néolithiques venues partager un déjeuner Primitif. Taffy ressemblait beaucoup à Teshumai, surtout les yeux et la partie supérieure du visage, donc l'Étranger - toujours un

pur Tewara - tendit à Teshumai l'écorce de bouleau en souriant poliment. Il avait couru de toutes ses forces, il était hors d'haleine et les ronces lui avaient égratigné les jambes mais il tentait tout de même d'être poli.

Dès que Teshumai vit le dessin, elle poussa un grand cri et se jeta sur l'Étranger. Les autres dames néolithiques lui sautèrent dessus et l'assommèrent, après quoi elles s'assirent toutes les six sur lui pendant que Teshumai lui tirait les cheveux.

— C'est aussi évident que le nez au milieu du visage de cet Étranger, dit-elle. Il a lardé mon Tegumai de harpons, il a effrayé la pauvre Taffy qui s'est retrouvée les cheveux dressés sur la tête ; et comme si cela ne suffisait pas, il m'apporte un dessin épouvantable expliquant ce qu'il a fait. Regardez !

Elle montra le dessin à toutes les dames néolithiques patiemment assises sur l'Étranger.

— Voilà mon Tegumai avec le bras cassé, reprit-elle ; voilà un harpon planté dans son dos ; voilà un homme prêt à lancer un harpon ; et en voilà un autre qui en lance un d'une Grotte et là, il y a toute une foule de gens (en fait, c'étaient les castors de Taffy mais on les aurait vraiment pris pour des gens) qui surgissent derrière Tegumai. C'est bouleversant !

— Tout à fait bouleversant ! s'exclamèrent les dames néolithiques.

Et elles couvrirent la chevelure de l'Étranger de boue (ce qui l'étonna beaucoup) et se mirent à battre les Tambours Tribaux pour convoquer tous les chefs de la tribu de Tegumai, avec leurs Hetmans et leurs Dolmans, tous les Négus, les Woons et les Akoons de l'organisation, sans compter les Warlocks, les Angekoks, les Jujumes, les Bonzes et le reste, qui décidèrent qu'avant de se faire couper la tête, l'Étranger devait d'abord les emmener à la rivière leur montrer où il avait caché la pauvre Taffy.

Là, l'Étranger (en dépit du fait que c'était un Tewara) était vraiment embêté. Il avait les cheveux pleins de boue durcie ; on l'avait roulé dans des petits cailloux pointus ; on l'avait écrasé sous le poids de six personnes ; on l'avait tapé et cogné jusqu'à ce qu'il ne puisse plus respirer ; et même s'il ne comprenait pas leur langue, il était presque certain que la façon dont le traitaient les dames néolithiques n'avait rien de distingué. Cependant, il ne dit rien tant que toute la tribu ne fût pas rassemblée et il les emmena alors jusqu'aux berges de la rivière Wagai ; ils y trouvèrent Taffy en train de tresser des marguerites tandis que Tegumai harponnait en douceur une petite carpe avec son harpon réparé.

— Eh bien, vous avez fait vite ! s'écria Taffy. Mais pourquoi avez-vous ramené tant de gens ? Papa chéri, voilà ma surprise. Tu es surpris, papa ?

— Très, répondit Tegumai ; mais la pêche est gâchée pour le reste de la journée. Taffy, notre bien aimée tribu est là toute entière, gentille, tranquille et proprette.

Et c'était la vérité. D'abord, Teshumai Tewindrow et les dames néolithiques qui ne lâchaient pas l'Étranger, dont les cheveux étaient couverts de boue (même si c'était un Tewara). Derrière venaient le Chef en chef, le Sous-Chef, les Chefs Suppléants et les Assistants (tous armés jusqu'aux dents), les Hetmens et les Échevins, les Mectoffs avec leurs sections, les Dolmans avec leurs détachements ; les Woons, les Négus et les Akoons se pressant derrière (toujours armés jusqu'aux dens). Ensuite, s'alignait la Tribu en ordre hiérarchique, depuis les propriétaires de quatre grottes (une pour chaque saison), d'un rennodrome privé et de deux sauts à saumon, jusqu'aux Vilains féodaux et prognathes, à qui on autorisait la possession d'une peau d'ours les nuits d'hiver à sept mètres du feu et les serfs taillables et corvéables à merci, assujettis dès leur mort à la reversion d'un os à moelle bien raclé (n'est-ce pas là une succession de mots magnifiques, Mieux Aimée ?). Ils étaient tous là, à crier et caracoler en effrayant tous les poissons à vingt milles à la ronde, et Tegumai leur adressa ses remerciements dans un discours néolithique des plus fluides.

Puis Teshumai Tewindrow se précipita pour embrasser Taffy et la serrer sur son cœur tant et plus ; mais le Chef en chef de la tribu de Tegumai attrapa Tegumai par son aigrette de plumes et le secoua d'importance.

— Explique-toi ! Explique-toi ! Explique-toi ! cria toute la tribu de Tegumai.

— Pour l'amour du Ciel ! dit Tegumai. Lâche mon aigrette ! Un homme ne peut-il donc casser son harpon à carpe sans que tout le pays lui tombe dessus ? Vous êtes des gens très encombrants.

— Finalement, vous n'avez pas du tout apporté le harpon à manche noir de papa, remarqua Taffy. Et qu'est-ce que vous êtes en train de faire à mon gentil Étranger ?

Ils le battaient à bras raccourcis en s'y mettant à deux, à trois, à dix si bien qu'il avait les yeux ribouldingues. Il ne pouvait plus que s'étouffer en montrant Taffy.

— Où sont les méchants qui t'ont harponnée, ma chérie ? demanda Teshumai Tewindrow.

— Personne n'a fait ça, répondit Tegumai. Le seul visiteur de la matinée, c'est ce pauvre type que vous êtes en train de démolir. Vous êtes sûrs d'être dans votre état normal, ô tribu de Tegumai ?

— Il est arrivé avec un affreux dessin, dit le Chef en chef, - un dessin où on te voyait lardé de harpons.

— Euh… hum… Peut-être faut-il que j'explique que c'est moi qui lui ai donné ce dessin, dit Taffy qui se sentait très mal à l'aise.

— Toi ! répondit la tribu de Tegumai en chœur. Petite-personne-mal-élevée-qui-mérite-une-fessée ! Toi ?

— Taffy chérie, je crains que nous n'ayons quelques ennuis, dit son papa.

Il l'entoura de son bras et elle n'eut plus peur de rien.

— Explique-toi ! Explique-toi ! Explique-toi ! cria le Chef en chef de la tribu de Tegumai en sautant sur un pied.

— Je voulais que l'Étranger aille chercher le harpon de papa, alors je l'ai dessiné, expliqua Taffy. Il n'y avait pas tellement de harpons. Il n'y en avait qu'un seul. Je l'ai dessiné trois fois pour plus de sûreté. Ce n'est pas de ma faute si on dirait qu'il rentre dans la tête de papa - il n'y avait pas assez de place sur l'écorce de bouleau ; et ces trucs que maman a pris pour des méchants, ce sont mes castors. Je les ai dessinés pour que l'Étranger suive la route qui traverse le marais ; et j'ai dessiné maman à l'entrée de la Grotte l'air content parce que c'est un gentil Étranger et moi, je pense que vous êtes les gens les plus bêtes de la terre, dit Taffy. C'est un homme très gentil. Pourquoi lui avez-vous mis de la boue dans les cheveux ? Lavez-le !

Personne ne prononça un mot pendant un long moment puis le Chef en chef se mit à rire ; l'Étranger (qui était du moins un Tewara) se mit à rire ; et Tegumai rit tellement qu'il s'écroula sur la berge ; ensuite la tribu toute entière se mit à rire tant et plus. Les seuls à ne pas rire, c'étaient Teshumai Tewindrow et toutes les dames néolithiques. Elles se montraient très polies à l'égard de tous leurs maris qu'elles traitaient d' « Idiot ! » à tour de bras.

Puis le Chef en chef de la tribu de Tegumai se mit à crier et chanter :

— Ô Petite-personne-mal-élevée-qui-mérite-une-fessée, tu es tombée sur une grande invention !

— Je n'ai pas fait exprès ; je voulais seulement le harpon à manche noir de papa, dit Taffy.

— Ce n'est pas grave. C'est quand même une grande invention, et un jour, les hommes appelleront cela l'écriture. Pour l'instant, ce ne sont que des dessins, et comme nous l'avons vu aujourd'hui, les dessins ne sont pas toujours correctement compris. Mais un jour viendra, ô Fille de Tegumai, où nous formerons des lettres - vingt-six lettres - et nous saurons lire tout autant qu'écrire et là, nous dirons toujours précisément ce que nous voulons sans commettre d'erreur. Que les dames néolithiques lavent la tête de l'Étranger de toute cette boue !

— Ça me fera plaisir, répondit Taffy, parce

qu'après tout, même si vous avez apporté jusqu'au dernier harpon de la tribu de Tegumai, vous avez oublié le harpon à manche noir de mon papa.

Alors le Chef en chef de la tribu de Tegumai se mit à crier et chanter :

— Petite Taffy, la prochaine fois que tu écriras une lettre-dessin, tu ferais bien de l'accompagner d'un homme qui parle notre langue, afin d'expliquer sa signification. En ce qui me concerne, ça m'est égal, parce que je suis le Chef en chef, mais c'est très mauvais pour le reste de la tribu de Tegumai, et comme tu le vois, ça surprend l'étranger.

Ensuite, ils adoptèrent l'Étranger (un authentique Tewara de Tewar) dans la tribu de Tegumai, parce que c'était un gentleman qui ne fit pas la moindre histoire à propos de la boue que les dames néolithiques lui avaient mise dans les cheveux. Mais depuis ce jour (et je suppose que tout est de la faute de Taffy), bien peu de petites filles ont jamais aimé apprendre à lire ou écrire. La plupart préfèrent dessiner ou jouer avec leur papa - exactement comme Taffy.

C'est l'histoire de Taffimai Metallumai sculptée il y a très très longtemps par les Peuples Antiques sur une antique défense. Si tu lis mon histoire, ou si on te la lit, tu verras que tout est raconté sur la défense. Cette défense était un fragment d'une vieille trompette tribale appartenant aux Tegumai. Les dessins ont été gravés avec une sorte de clou et les creux ensuite comblés de cire noire, sauf les traits de division et les cinq petits cercles en bas qui étaient comblés de cire rouge. Lorsque la défense était neuve, un réseau de perles, de coquillages et de pierres précieuses ornait une des extrémités ; mais maintenant, tout est cassé et perdu - à l'exception du petit bout que tu vois. Les lettres de chaque côté sont magiques - runiques magiques - et si tu parviens à les lire, tu découvriras une véritable nouveauté. La défense est en ivoire - tout jauni et éraflé. Elle mesure soixante centimètres de long et soixante centimètres de diamètre et pèse cinq kilos deux cent cinquante grammes.

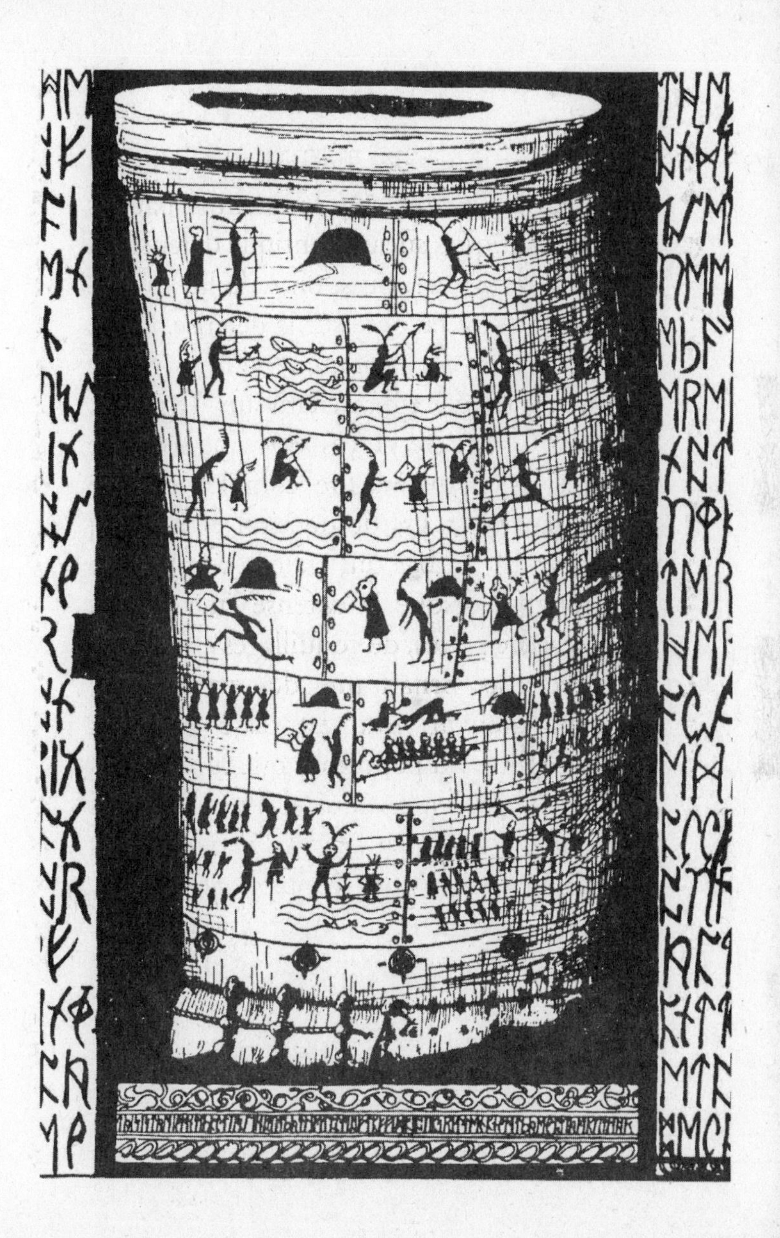

# La naissance de l'Alphabet

La semaine qui suivit la petite erreur commise par Taffimai Metallumai (nous continuerons à l'appeler Taffy, Mieux Aimée) à propos du harpon de son papa, de l'Étranger, de la lettre-dessin et tout ça, elle repartit pêcher la carpe avec son papa. Sa maman voulait qu'elle reste à la maison l'aider à suspendre des peaux qui devaient sécher sur les grands poteaux devant leur Grotte néolithique, mais Taffy prit la tangente de bonne heure pour aller pêcher. Elle se mit bientôt à pouffer de rire et son papa dit :

— Ne fais pas l'idiote, petite.

— Mais c'était trop drôle ! s'exclama Taffy. Tu te souviens comment le Chef en chef gonflait les joues et à quel point ce gentil Étranger était amusant avec de la boue dans les cheveux ?

— Je ne risque pas d'oublier, répondit Tegumai. Il a fallu que je donne deux peaux de renne - des sou-

Près de Merrow Down court une route -
Aujourd'hui, un sentier herbeux -
À une heure de la ville de Guilford
Et juste au-dessus de la rivière Wey.

Là, quand sonnaient les grelots des chevaux
Les Anciens Anglais sautaient à califourchon
Pour regarder les sombres Phéniciens apporter
Leurs marchandises le long de la route occidentale.

Et là, ou dans les environs, ils se retrouvaient
Pour tenir des discussions de races,
Troquer des perles contre du jais de Whitby
Et du métal contre de belles torques en coquillages.

Mais longtemps, bien longtemps avant ce temps
(Quand le bison rôdait dans cette région-là)
Taffy et son papa l'empruntaient souvent,
Parce qu'alors, ils habitaient par là.

Le ruisseau de Broadstone, les castors l'ont barré ;
C'était un marécage là où se dresse Bramley ;
Et des ours venus de Shere venaient chercher
Taffimai là où se dresse Shamley.

La Wey, que Taffy appelait Wagai,
Était six fois plus large alors ;
Et toute la tribu de Tegumai
Avait noble allure, alors !

ples à franges - à l'Étranger pour tout ce que nous lui avons fait.

— Nous, nous ne lui avons rien fait, protesta Taffy. C'était maman et les autres dames néolithiques - et la boue.

— Ne parlons pas de cela, dit son père. Déjeunons plutôt.

Taffy prit un os à moelle et resta tranquille comme une souris pendant dix bonnes minutes, tandis que son papa gravait des morceaux d'écorce de bouleau avec une dent de requin. Puis elle dit :

— Papa, j'ai pensé à une surprise secrète. Fais un bruit - n'importe lequel.

— Ah ! dit Tegumai. Ça te convient pour commencer ?

— Oui, dit Taffy. Tu ressembles exactement à une carpe avec la bouche ouverte. Tu peux répéter, s'il te plaît ?

— Ah ! Ah ! Ah ! dit son père. Ne sois pas insolente, ma fille.

— Je n'en avais pas l'intention, sincèrement, répondit Taffy. Ça fait partie de mes idées de surprise secrète. Papa, dis *ah* sans refermer la bouche à la fin ; et prête-moi cette dent. Je vais dessiner une carpe la bouche grande ouverte.

— Pour quoi faire ? demanda son père.

— Tu ne comprends pas ? dit Taffy en gravant

l'écorce. Ce sera notre petite surprise secrète. Quand je dessinerai une carpe la bouche ouverte sur le mur enfumé au fond de notre Grotte - si ça ne dérange pas maman - ça te rappellera ce *ah*. Et on pourra faire semblant que c'est moi qui surgis de l'obscurité pour te surprendre avec ce bruit - exactement comme j'ai fait dans le marais aux castors l'hiver dernier.

— Ah oui ? dit son père, du ton que prennent les adultes quand ils sont vraiment attentifs. Continue, Taffy.

— Oh zut ! dit-elle. Je ne sais pas dessiner une carpe entière, mais je peux dessiner quelque chose qui représente une bouche de carpe. Tu sais comment elles se tiennent debout, la tête enfoncée dans la boue ? Eh bien, voilà une soi-disant carpe (on fait semblant que le reste du corps est dessiné). Là, c'est juste sa bouche et ça dit *ah*.

Et elle dessina ceci. (1)

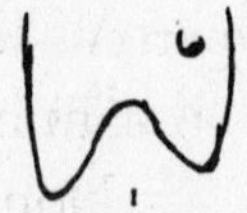

— Ce n'est pas mal, dit Tegumai en gravant son morceau d'écorce de son côté. Mais tu as oublié le barbillon qui lui pend de la bouche.

— Mais je ne sais pas dessiner, papa.

— Inutile d'en dessiner davantage, restes-en à l'ouverture de la bouche et au barbillon en travers. Ainsi, on saura qu'il s'agit d'une carpe, parce que les perches et les truites n'ont pas de barbillons. Regarde, Taffy.

Et il dessina ceci. (2)

— Bon, je vais le copier, dit Taffy. Tu le comprendras quand tu le verras ?

Et elle dessina ceci. (3)

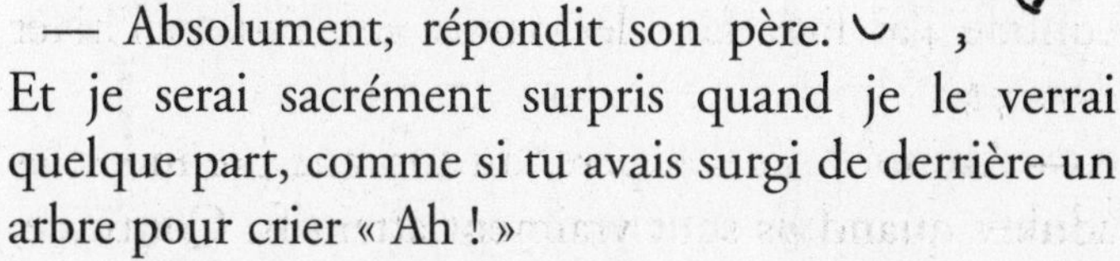

— Absolument, répondit son père. Et je serai sacrément surpris quand je le verrai quelque part, comme si tu avais surgi de derrière un arbre pour crier « Ah ! »

— Maintenant, fais un autre son, demanda Taffy, très fière.

— Yah ! s'écria bruyamment son père.

— Hum, dit Taffy. C'est un bruit mélangé. La fin, c'est bien le *ah* de la bouche de la carpe ; mais que peut-on faire du début ? *Ih-Ih-Ih* et *Ah ! Yah !*

— Ça ressemble beaucoup au bruit de la bouche de carpe. Dessinons une autre partie du poisson et mettons-les ensemble, dit son père.

Il commençait à se prendre au jeu, lui aussi.

— Non, si on les met ensemble, je vais oublier. Dessine-les séparément. Dessine sa queue. Si elle est debout sur la tête, c'est la queue qu'on voit en premier. En plus, je crois que c'est plus facile de dessiner des queues, dit Taffy.

— Une bonne idée, dit Tegumai. Voilà une queue de carpe pour le son *Ih*.

Et il dessina ceci. (4)

— Je vais essayer, dit Taffy. N'oublie pas que je ne sais pas dessiner comme toi, papa. Ça ira si je trace seulement l'endroit où la queue se sépare avec une seule ligne pour l'endroit où ça se rejoint ?

Et elle dessina ceci. (5)

Son père hocha la tête, les yeux brillants d'excitation.

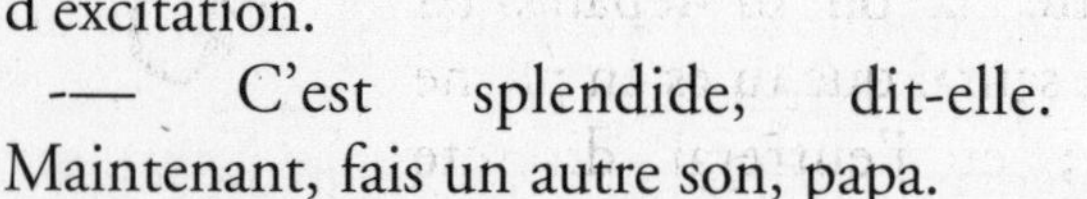

— C'est splendide, dit-elle. Maintenant, fais un autre son, papa.

— Oh ! dit son père, très fort.

— Ça, c'est facile, dit Taffy. Tu fais une bouche toute ronde, comme un œuf ou un caillou. Donc, un œuf ou un caillou feront l'affaire.

— On n'a pas toujours un œuf ou un caillou sous la main. Il faut graver un truc rond qui ressemble.

Et il dessina ceci. (6)

— Oh là là ! s'écria Taffy, on a déjà fait beaucoup d'images-sons - la bouche de carpe, la queue de carpe et un œuf ! Maintenant, encore un autre son, papa.

— Ssh ! dit son père, d'un ton énervé.

Mais Taffy était trop absorbée pour le remarquer.

— Celui-là est facile, dit-elle en gravant l'écorce.

— Quoi ? dit son père. Je te disais que je réfléchissais et qu'il ne fallait pas me déranger.

— N'empêche, c'est un bruit quand même. C'est le bruit du serpent, papa, quand il réfléchit et qu'il ne veut pas être dérangé. Pour ce ssh, faisons un serpent. Ça conviendra ?

Et elle dessina ceci. (7)

— Voilà, reprit-elle. Un autre secret-surprise. Si tu dessines un serpent-siffleur sur la porte de ta petite arrière-grotte, là où tu répares les harpons, je saurai que tu es en pleine réflexion ; et j'entrerai discrète comme une souris. Et si tu le dessines sur un arbre près de la rivière quand tu pêches, je saurai que tu veux que je marche discrète comme une souris-souris, pour ne pas déranger les poissons.

— Absolument vrai, dit Tegumai. Et ce jeu est encore plus intéressant que tu ne le penses. Taffy chérie, j'ai bien l'impression que la fille de ton père a découvert la chose la plus passionnante qui ait jamais existé depuis que la tribu de Tegumai a décidé d'utiliser des dents de requin plutôt que des silex pour leurs têtes de harpons. Je crois que nous avons découvert *le* grand secret du monde.

— Pourquoi ? demanda Taffy, dont les yeux brillaient aussi d'excitation.

— Je vais te montrer, lui dit son père. Comment dit-on eau en langue tegumai ?

— *Ya*, évidemment, et cela signifie aussi la rivière - comme Wagai-ya-la rivière Wagai.

— Et la mauvaise eau qui te donne la fièvre si tu en bois - l'eau noire - l'eau des marais ?

— *Yo*, évidemment.

— Alors, regarde, dit son père. Imagine que tu vois cela inscrit près d'une mare dans le marais aux castors ?

Et il dessina ceci. (8)

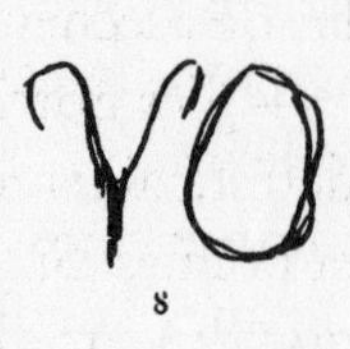

— Queue de carpe et œuf rond. Deux sons mélangés ! *Yo*, la mauvaise eau ! s'écria Taffy. Évidemment, je ne boirai pas de cette eau parce que je saurai que tu l'as trouvée mauvaise.

— Mais je n'ai nul besoin d'être à côté de l'eau. Je peux me trouver à des kilomètres de là, en train de chasser, et pourtant…

— Et pourtant, ce serait exactement comme si tu te tenais là et que tu me disais : « Va-t-en, Taffy, sinon tu vas attraper la fièvre ! » Tout ça dans une queue de carpe et un œuf rond ! Oh papa, il faut raconter ça à maman, vite !

Et Taffy se mit à danser.

— Pas encore, dit Tegumai ; pas tant que nous n'aurons pas été un peu plus loin. Voyons. *Yo*, c'est la mauvaise eau, mais *so*, c'est la nourriture cuite sur le feu, n'est-ce pas ?

Et il dessina ceci. (9)

— Oui, un serpent et un œuf, dit Taffy. Ce qui sig-

nifie que le dîner est prêt. Si tu voyais cela sur un arbre, tu saurais qu'il est temps de rentrer à la Grotte. Et moi aussi.

— Par ma barbe ! s'écria Tegumai. C'est pourtant vrai. Mais attends une minute. Je vois une difficulté. *So* signifie « viens dîner » mais *sho*, ce sont les grands poteaux sur lesquels nous faisons sécher les peaux.

— Ces horribles vieux poteaux ! s'exclama Taffy. Je déteste aider à accrocher ces énormes peaux épaisses et poilues. Si tu dessines le serpent et l'œuf, je croirai que ça veut dire dîner et je vais sortir des bois pour m'apercevoir que je dois aider maman à étendre les peaux sur les poteaux. Qu'est-ce que je ferai alors ?

— Tu seras fâchée. Et maman aussi. Il faut trouver un nouveau dessin pour *sho*. On fait un serpent tacheté qui siffle *sh-sh* et on décide que le serpent uni siffle seulement *ssss*.

— Je ne saurai jamais comment disposer les taches, dit Taffy. Et si tu es pressé, tu risques de les oublier et moi je vais croire que c'est *so* alors que c'est *sho* et comme ça maman m'aura au tournant exactement de la même façon. Non ! Il vaut mieux faire un dessin représentant ces horribles grands poteaux, c'est la seule façon de ne pas se tromper. Je vais les mettre juste après le serpent-siffleur. Regarde !

Et elle dessina ceci. (10)

— C'est peut-être plus sûr. En tout cas, ça ressemble beaucoup à nos poteaux de séchage, dit son papa en riant. Maintenant, je prononce un nouveau son avec un serpent et un poteau de séchage dedans. Je dis *shi*. Ce qui est le mot tegumai pour harpon, Taffy.

Et il se mit à rire.

— Ne te moque pas de moi, dit Taffy en pensant à sa lettre-dessin et à la boue dans les cheveux de l'Étranger. C'est toi qui le dessines, papa.

— Cette fois, pas de castors ni de collines, d'accord ? dit son père. Je vais juste dessiner un trait tout droit pour mon harpon.

Et il dessina ceci. (11)

— Même maman ne pourrait pas croire que c'est moi qu'on est en train de tuer, ajouta-t-il.

— Papa, arrête, je t'en prie. Je ne suis pas à l'aise. Fais d'autres sons. On avance magnifiquement.

— Euh… dit Tegumai en levant les yeux. On va dire *shu*. Ce qui veut dire le ciel.

Taffy dessina le serpent et les poteaux de séchage. Puis elle s'arrêta.

— Nous devons imaginer un nouveau dessin pour le son de la fin, non ?

— Shu-u-u-u-u ! dit son père. Écoute, c'est comme le son de l'œuf rond en plus mince.

— Alors imagine qu'on dessine un œuf rond allongé et qu'on fasse semblant que c'est une grenouille qui n'a rien mangé depuis des années.

— Non, dit son père. Si on dessine ça en vitesse, on risque de le mélanger avec l'œuf rond lui-même. *Shu-shu-shu !* Je vais te dire ce qu'on va faire. On va ouvrir un petit trou au bout de l'œuf rond pour montrer comment le son O s'amincit, *ou-ou-ou.* Comme ça.

Et il dessina ceci. (12)

— Oh c'est joli ! Bien mieux qu'une grenouille maigrichonne. Continue, dit Taffy, sa dent de requin à la main.

Son père se remit à dessiner, la main tremblante d'excitation. Et voici ce qu'il dessina. (13)

— Concentre-toi, Taffy ! Regarde si tu peux déchiffrer ce que cela signifie en langue tegumai. Si tu y parviens, nous avons trouvé le Secret.

— Serpent – poteau – œuf brisé – queue de carpe et bouche de carpe, dit Taffy. *Shu-ya.* La pluie du ciel.

Au même moment, une goutte tomba sur sa main, car le ciel s'était couvert.

— Eh, papa, il pleut. C'était bien ça que tu voulais me dire ?

— Bien sûr, répondit son père. Et je te l'ai dit sans prononcer un mot, non ?

— Bon, je l'aurais su une minute après, mais cette goutte de pluie n'a fait que confirmer. Je m'en souviendrai toujours. *Shu-ya* signifie la pluie ou « il va pleuvoir ». Tu te rends compte, papa ! s'écria-t-elle en se levant pour danser autour de lui. Imagine que tu sois sorti quand je dormais encore, tu as dessiné *shu-ya* dans la fumée sur le mur, moi je sais qu'il va pleuvoir et je prends mon capuchon en peau de castor. C'est maman qui sera étonnée !

Tegumai se leva et se mit à danser. (À l'époque, ça ne dérangeait pas les papas de faire des choses pareilles.)

— Mieux que ça ! Mieux que ça ! dit-il. Imagine que je veuille t'expliquer qu'il ne va pas beaucoup pleuvoir et qu'il faut que tu viennes à la rivière, que faudrait-il dessiner ? Prononce d'abord les mots en langue tegumai.

— *Shu-ya-las, ya maru.* (Eau du ciel terminée. À la rivière viens.) En voilà des nouveaux sons ! Je ne vois pas comment nous pourrions les dessiner.

— Moi si, moi si ! s'exclama Tegumai. Écoute-moi encore une minute, Taffy et après, on arrête pour aujourd'hui. On a déjà *shu-ya*, tu es d'accord ? Mais ce *las* est un problème. *La-la-la !*

Et il se mit à agiter sa dent de requin.

— Il y a le serpent siffleur à la fin et la bouche de carpe avant le serpent - *as-as-as*. Il ne nous manque que *la-la*, dit Taffy.

— Je sais, mais il faut le faire, *la-la*. Et nous sommes le premier peuple du monde à l'avoir jamais tenté, Taffimai !

— Bon, dit Taffy en bâillant parce qu'elle était très fatiguée. *Las* veut dire aussi bien cassé ou fini que terminé, non ?

— Si, répondit Tegumai. *Ya-las* signifie qu'il n'y a plus d'eau dans le réservoir pour que maman fasse à manger - et juste au moment où je pars chasser, en plus.

— Et *shi-las* signifie que ton harpon est brisé. Si j'avais seulement pensé à *ça* au lieu de dessiner des idiotes images de castors pour l'Étranger !

— *La ! La ! La !* dit Tegumai en agitant son bâton, les sourcils froncés. Oh zut !

— J'aurais pu dessiner *shi* très facilement, continua Taffy. Ensuite, j'aurais dessiné ton harpon tout cassé - comme ça !

Et elle se mit à dessiner. (14)

— C'est exactement ça, dit Tegumai. C'est tout à fait *la*. Et ça ne ressemble à aucun des autres dessins, en plus.

14

Et il dessina ceci. (15)

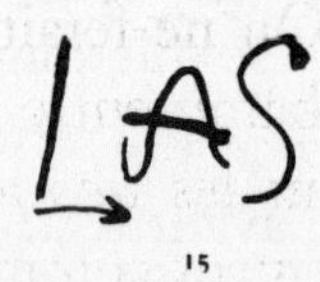

15

— Maintenant *ya*. Oh, celui-là, on l'a déjà fait. Passons à *maru*. *Mum-mum-mum*. *Mum*, ça ferme la bouche, non ? On va dessiner une bouche fermée, comme ça.

Et il dessina. (16)

— Ensuite, la bouche de carpe ouverte. Ce qui fait *Ma-ma-ma* ! Mais et ce son *rrrrr*, Taffy ?

16

— Ça s'entend brusque et tranchant, comme ta scie en dent de requin quand tu coupes une planche pour la pirogue, dit Taffy.

— Tu veux dire avec des bords rugueux, comme ça ? demanda Tegumai.

Et il dessina. (17)

— 'Bsolument, dit Taffy. Mais on n'a pas besoin de toutes ces dents : mets-en seulement deux.

17

— Je n'en mets qu'une seule, dit Tegumai. Si notre petit jeu devient ce que je crois qu'il va devenir, plus on simplifiera la représentation des sons, mieux ça vaudra pour tout le monde.

Et il dessina. (18)

— Là, ça y est, reprit Tegumai, debout sur une jambe. Je vais les aligner, comme des poissons sur un fil.

— On ne ferait pas mieux de mettre un petit bâton entre chaque mot, pour ne pas qu'ils se frottent les uns aux autres et qu'ils se mélangent, exactement comme des carpes ?

— Oh, je vais simplement laisser un espace, dit son père.

Et passionné, il se mit à dessiner sans s'arrêter, sur un vaste morceau d'écorce, tout neuf. (19)

— *Shu-ya-las ya-maru*, dit Taffy en déchiffrant son

après son.

— Ça suffit pour aujourd'hui, déclara Tegumai. D'autant que tu commences à être fatiguée, Taffy. Ne t'inquiète pas, ma chérie. Nous finirons cela demain et après, on se souviendra de nous pendant des années et des années, bien après que les plus grands arbres auront été coupés pour faire du bois de chauffage.

Ils rentrèrent donc chez eux et pendant toute la soirée, Tegumai s'assit d'un côté du feu et Taffy de l'autre ; ils dessinèrent des *ya* et des *yo*, des *shu* et des *shi* sur le mur enfumé ; ils rirent ensemble jusqu'à ce que la mère dise :

— Vraiment, Tegumai, tu es pire que ma petite Taffy.

— Ne t'inquiète pas, dit Taffy. Ce n'est que notre surprise secrète, maman chérie, et nous t'en parlerons dès qu'elle sera prête ; mais je t'en prie, ne me demande rien maintenant, sinon je serais obligée de tout te raconter.

Sa maman fit donc très attention de ne rien demander ; et le lendemain, dès l'aube, Tegumai, en pleine forme, descendit à la rivière réfléchir à de nouvelles images-sons ; lorsque Taffy se leva, elle vit devant la Grotte, tracé à la craie sur le grand réservoir à eau, *Ya-las* (il n'y a plus d'eau ou l'eau fuit).

— Hum, dit-elle. Ces images-sons sont bien embêtantes ! Papa aurait eu aussi vite fait de me demander d'aller chercher de l'eau pour la cuisine de maman.

Elle se rendit à la source derrière la maison et remplit le réservoir avec un seau en écorce ; puis elle descendit à la rivière et tira l'oreille gauche de son père - celle qui lui était réservée quand elle était sage.

— Viens maintenant, nous allons dessiner toutes les images-sons qui restent, dit son père.

Ils passèrent une journée passionnante, avec un

magnifique déjeuner au milieu et deux séances de jeu. Quand ils arrivèrent au T, Taffy dit que puisque son nom, celui de son père et celui de sa mère commençaient tous par ce son, ils devaient inventer un dessin où toute la famille se tenait par la main. À reproduire une ou deux fois, c'était parfait ; mais au bout de la sixième ou de la septième, Taffy et Tegumai griffonnaient de plus en plus, si bien qu'à la fin le son T n'était plus qu'un long Tegumai avec les bras tendus pour tenir Taffy et Teshumai. On voit bien l'évolution avec ces trois images. (20, 21, 22) Au départ, surtout avant le déjeuner, la plupart des

dessins étaient bien trop beaux ; mais à force de les tracer sur l'écorce de bouleau, ils se simplifiaient et devenaient plus faciles, jusqu'à ce qu'enfin, Tegumai lui-même n'ait plus rien à redire. Pour le son Z, ils retournèrent le serpent-siffleur dans l'autre sens, pour montrer qu'il sifflait derrière lui, gentiment, doucement (23) ; pour le E, ils se contentèrent d'une bricole, parce qu'il revenait très souvent (24) ;

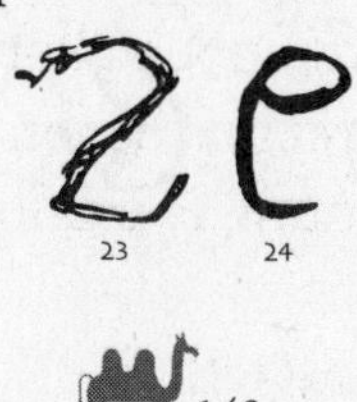

ils dessinèrent des images du Castor sacré des Tegumais pour le son B (25, 26, 27, 28) ;

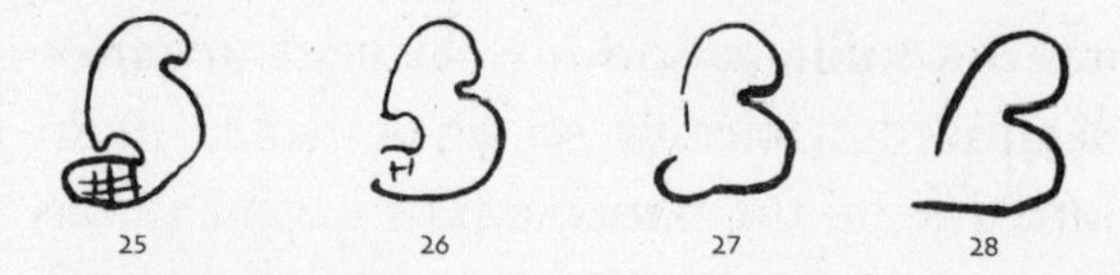


et parce que le son N était un vilain bruit nasillard, ils alignèrent des nez à en être fatigués (29) ;

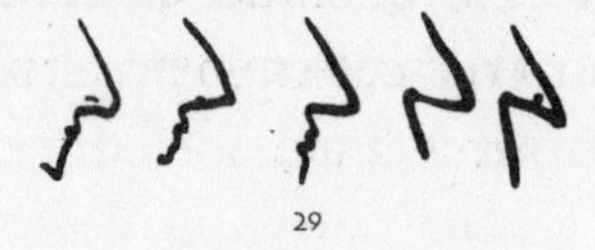


ils dessinèrent la bouche d'un gros brochet du lac pour le son Ga si avide (30) ; ils utilisèrent encore la bouche du brochet avec le harpon juste derrière pour le son Ka, qui gratte et qui irrite (31) ;

pour le joli son zigzagant Wa, ils dessinèrent un petit bout des méandres de la rivière Wagai (32, 33) ;

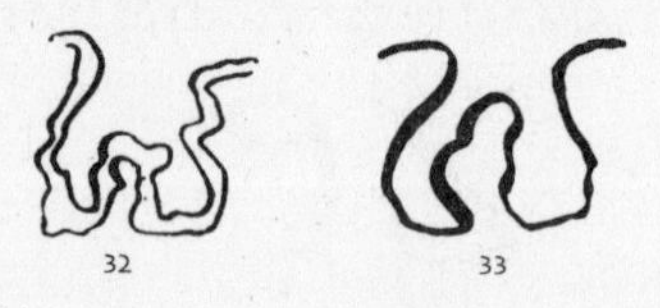

et ils continuèrent ainsi, encore et encore, jusqu'à obtenir la totalité des images-sons qu'ils souhaitaient, et l'Alphabet se retrouva au complet.

Et après des milliers et des milliers et des milliers d'années, après les Hiéroglyphiques, les Démotiques, les Nilotiques, les Cryptiques, les Cufiques, les Runiques, les Doriques, les Ioniques et autres nique et pique (parce que les Woons, les Négus, les Akoons et autres Dépositaires de la Tradition sont incapables de laisser tranquille quelque chose d'intéressant) le bon vieil alphabet, facilement compréhensible - A, B, C, D, E et toute la bande - a fini par retrouver sa forme première pour que toutes les Mieux Aimées puissent l'apprendre, dès qu'elles en ont l'âge.

Mais je n'ai pas oublié Tegumai Bopsulai, Taffimai Metallumai et Teshumai Tewindrow, sa chère maman, pas plus que tous les jours enfuis. Et ça se passait ainsi - ainsi et pas autrement - il y a bien longtemps, sur les rives de la vaste Wagai !

Une des premières choses que fit Tegumai Bopsulai après avoir inventé l'Alphabet avec Taffy, ce fut de fabriquer un collier-Alphabet magique avec toutes les lettres, à déposer dans le Temple de Tegumai et à conserver pour l'éternité. Chaque membre de la tribu de Tegumai apporta ses perles et ses objets les plus précieux ; Taffy et Tegumai passèrent cinq années entières à organiser le collier. Voici un dessin de ce collier-Alphabet magique. Il était enfilé sur un tendon de renne le plus fin et le plus solide qui fût, renforcé d'un mince fil de cuivre.

Si on commence en haut, la première perle ancienne, en argent, appartenait au Grand Prêtre de la tribu de Tegumai ; viennent ensuite trois perles de moule noires ; puis une perle d'argile (grise et bleue) ; ensuite une perle d'or grumeleuse envoyée comme cadeau par une tribu qui l'avait reçue d'Afrique (mais en réalité, cela vient sans doute d'Inde) ; après, c'est une perle de verre allongée, aplatie, originaire d'Afrique (la tribu de Tegumai l'a prise lors d'un combat) ; ensuite, ce sont deux perles d'argile (blanches et vertes), l'une à pois, l'autre à pois et rayures ; ensuite, ce sont trois perles d'ambre bien abîmées ; puis trois perles d'argile (rouges et blanches), deux à pois et la grosse au milieu avec un motif dentelé. C'est ensuite le tour des lettres qui sont séparées par une perle d'argile blanc sur laquelle la lettre est reproduite en petit.

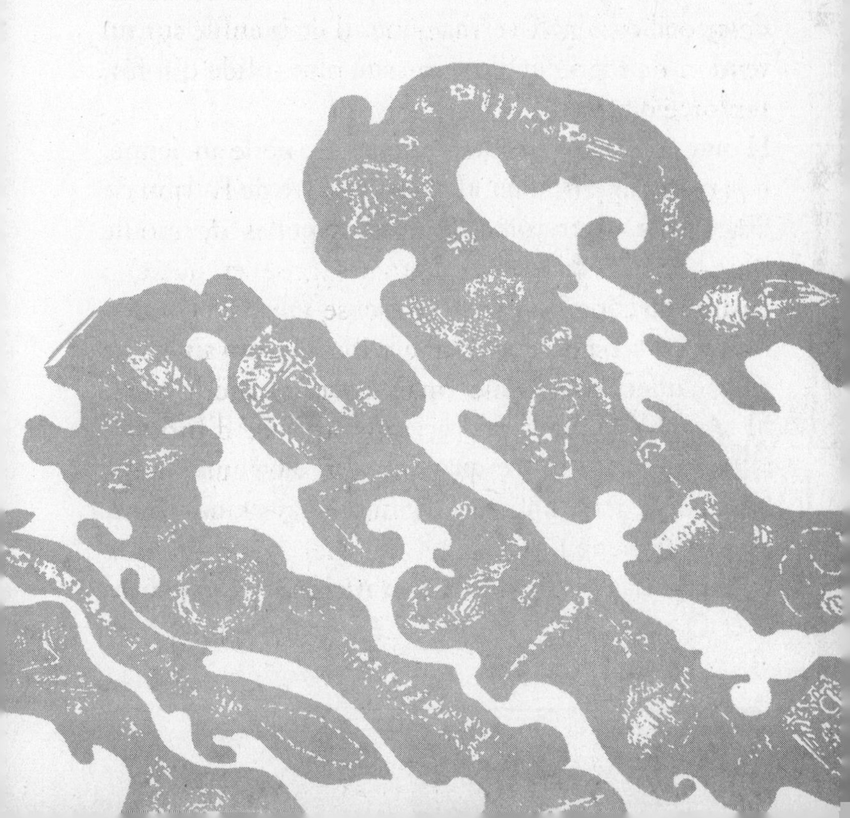

# Les voici

A est gravé sur une dent - une défense d'élan, je crois.
B, le Castor sacré des Tegumai sur un morceau d'ivoire ancien.
C, une coquille d'huître nacrée - celle du dessus, l'intérieur.
D, un genre de coquille de moule - l'extérieur.
E, un tournicotis de fil d'argent.
F est cassé mais ce qu'il en reste, c'est un morceau de corne de cerf.
G est peint en noir sur un morcau de bois. (Derrière, vient un petit coquillage et non une perle d'argile. J'ignore pourquoi.)
H, une espèce de gros cauri brun.
I, la partie interne d'un long coquillage écrasé à la main (Tegumai a mis trois mois à le pulvériser.)
J, un hameçon de nacre.
L, le harpon brisé en argent. (K devrait suivre J, bien sûr ; mais le collier a été cassé une fois et on l'a mal réparé.)
K, une mince couche d'os raclé et frotté au noir.
M se trouve sur un coquillage gris pâle.
N, un morceau de ce qu'on appelle du porphyre sur lequel on a gravé un nez. (Tegumai a passé cinq mois à polir cette pierre.)
O, un débris de coquille d'huître avec un trou au milieu.
P et Q ne sont pas là. Ils ont été perdus, il y a bien

longtemps, lors d'une grande guerre ; la tribu a réparé le collier avec les anneaux séchés d'un serpent à sonnettes, mais personne n'a jamais retrouvé le P et le Q.

R, évidemment, est simplement une dent de requin.

S, un petit serpent d'argent.

T, l'extrémité d'un petit os, tout brillant et poli par l'usage.

U est également un morceau de coquille d'huître.

W est un fragment de nacre tout tordu trouvé dans une grosse coquille et scié avec un fil trempé dans le sable et l'eau. Il a fallu un mois et demi à Taffy pour le polir et le percer.

X est un fil d'argent fixé au centre par un grenat brut. (C'est Taffy qui a trouvé le grenat.)

Y est la queue de la carpe en ivoire.

Z est un morceau d'agate en forme de cloche, marqué de zébrures. On a fait le serpent-Z à partir de l'une de ces zébrures en détachant la pierre tendre et en la frottant de sable rouge et de cire d'abeille. Dans l'orifice de la cloche, on voit la perle d'argile sur laquelle est répétée la lettre Z.

## Voici la totalité des lettres

La perle suivante, c'est un petit rond de minerai de cuivre vert-de-gris ; puis un morceau de turquoise brute ; après vient une pépite d'or brut (ce qu'on appelle l'or d'eau) ; la suivante, une perle d'argile en forme de melon (blanche avec des taches vertes). Ensuite, ce sont quatre morceaux d'ivoire plats, avec des points dessus comme des dominos ; ensuite viennent trois pierres, très abîmées ; puis deux perles métalliques lisses avec des trous de rouille sur les bords (elles devaient être magiques, parce qu'elles paraissent ordinaires) ; et enfin, une très très ancienne perle africaine, qui ressemble à du verre - bleue, rouge, blanche, noire et jaune. Ensuite, c'est la boucle à glisser par-dessus le gros bouton d'argent à l'autre bout et voilà.

J'ai recopié ce collier avec beaucoup de soin. Il pèse trois kilos trois cent quatre vingt treize grammes. Les griffonnages noirs derrière ne sont là que pour mettre les perles et le reste en valeur.

*De toute la tribu des Tegumai*
*Qui avait fière allure, personne ne demeure -*
*Sur Merrow Down, les coucous pleurent -*
*Seuls le silence et le soleil demeurent.*

*C'est le retour des fidèles années*
*Et les cœurs intacts chantent à nouveau*
*Taffy arrive en dansant dans la fougère*
*Devançant à nouveau le printemps dans le Surrey.*

*Son front est ceint de feuilles de fougère*
*Et ses boucles dorées s'envolent ;*
*Ses yeux brillent comme des diamants*
*Plus bleus que les cieux là-haut.*

*En mocassins et manteau de daim,*
*Sans crainte, libre et blonde, elle volète*
*La fumée du petit bois trop humide,*
*Montre à son papa où elle volète.*

*Car loin - oh si loin en arrière*
*Si loin qu'elle ne peut le voir,*
*Arrive Tegumai tout seul à la recherche*
*De l'enfant qui était tout pour lui.*

# Le Crabe qui jouait avec la Mer

Avant ces Temps Lointains et Reculés, ô ma Mieux Aimée, il y eut le Temps des Tout-Commencements ; et c'était à l'époque où l'Aîné des Magiciens préparait Toutes Choses. Il prépara d'abord la Terre ; puis la Mer ; ensuite, il prévint tous les Animaux qu'ils pouvaient sortir jouer. Et les Animaux dirent :

— Ô Aîné des Magiciens, à quoi allons-nous jouer ?

Et il répondit :

— Je vais vous montrer.

Il prit l'Eléphant - Tout-ce-qu'il-y-avait-d'Eléphant - et dit :

— Joue à être un Eléphant.

Et Tout-ce-qu'il-y-avait-d'Eléphant se mit à jouer.

Il prit le Castor - Tout-ce-qu'il-y-avait-de-Castor - et dit :

— Joue à être un Castor.

Et Tout-ce-qu'il-y-avait-de-Castor se mit à jouer.

Il prit la Vache - Tout-ce-qu'il-y-avait-de-Vache - et dit :

— Joue à être une Vache.

Et Tout-ce-qu'il-y-avait-de-Vache se mit à jouer.

Il prit la Tortue - Tout-ce-qu'il-y-avait-de-Tortue - et dit :

— Joue à être une Tortue.

Et Tout-ce-qu'il-y-avait-de-Tortue se mit à jouer.

L'un après l'autre, il prit toutes les bêtes, tous les oiseaux et tous les poissons et leur dit à quoi ils devaient jouer.

Mais le soir venu, quand choses et gens, fatigués, s'impatientent, surgit l'Homme (avec sa petite fille à lui ?) — oui, avec son enfant-fille Mieux Aimée perchée sur son épaule et il dit :

— À quoi joue-t-on, Aîné des Magiciens ?

Et l'Aîné des Magiciens répondit :

— Oh, Fils d'Adam, c'est le jeu des Tout-Commencements ; mais tu es trop avisé pour jouer à ce jeu-là.

L'Homme salua et dit :

— Oui, je suis trop avisé pour jouer à ce jeu-là ; mais veille à ce que tous les Animaux m'obéissent.

Tandis que ces deux-là bavardaient, Pau Amma le Crabe, dont c'était le tour de jouer, fila en biais jusque dans la mer en se disant : « Je vais jouer tout seul dans les eaux profondes, et je n'obéirai jamais à ce fils d'Adam ». Personne ne le vit disparaître, sauf la petite fille perchée sur l'épaule de l'Homme. Et la partie continua jusqu'à ce qu'il n'y ait plus aucun Animal abandonné à son sort ; après avoir essuyé la fine poussière qui s'était déposée sur ses mains, l'Aîné des Magiciens parcourut le monde pour voir comment jouaient les Animaux.

Il alla au nord, Mieux Aimée, et trouva Tout-ce-qu'il-y-avait-d'Eléphant en train de creuser avec ses défenses et marteler avec ses pattes la belle terre toute propre qu'on lui avait préparée.

— *Kun ?* dit Tout-ce-qu'il-y-avait-d'Eléphant, ce qui signifiait : « C'est comme il faut ? »

— *Payah kun*, répondit l'Aîné des Magiciens, ce qui signifiait : « C'est tout à fait comme il faut. »

Et il souffla sur les grands rochers et les morceaux de terre que Tout-ce-qu'il-y-avait-d'Eléphant avait déblayés, et cela devint les grandes montagnes de l'Himalaya, et tu peux les voir sur la carte.

Il alla à l'est et trouva Tout-ce-qu'il-y-avait-de-Vache en train de brouter le pré qu'on lui avait préparé, et d'un seul coup de langue, elle arracha une forêt entière et l'avala, puis elle s'assit pour ruminer.

— *Kun* ? demanda Tout-ce-qu'il-y-avait-de-Vache.

— *Payah kun*, répondit l'Aîné des Magiciens.

Et il souffla sur la terre nue, là où elle avait mangé et là où elle s'était assise, le premier endroit devint le grand Désert indien et l'autre le Désert du Sahara et tu peux les voir sur la carte.

Il alla à l'ouest et trouva Tout-ce-qu'il-y-avait-de-Castor en train de construire un barrage de castor en travers de l'embouchure des larges rivières qu'on lui avait préparées.

— *Kun* ? demanda Tout-ce-qu'il-y-avait-de-Castor.

— *Payah kun*, répondit l'Aîné des Magiciens.

Et il souffla sur les arbres abattus et les eaux calmes ; cela devint les Everglades en Floride, et tu peux les voir sur la carte.

Puis il alla au sud et trouva Tout-ce-qu'il-y-avait-de-Tortue en train de gratter avec ses pattes dans le sable qu'on lui avait préparé et le sable et les rochers tourbillonnaient dans l'air avant de tomber droit dans la mer.

— *Kun ?* demanda Tout-ce-qu'il-y-avait-de-Tortue.

— *Payah kun*, répondit l'Aîné des Magiciens.

Et il souffla sur le sable et les rochers, là où ils étaient tombés dans la mer, et cela devint ces magnifiques îles de Bornéo, des Célèbes, de Sumatra, de Java et le reste de l'Archipel malais et tu peux tout à fait les voir sur la carte.

L'Aîné des Magiciens finit bien par croiser l'Homme sur les berges de la rivière Perak et dit :

— Oh ! Fils d'Adam, les animaux se montrent-ils tous obéissants ?

— Oui, répondit l'Homme.

— La Terre entière se montre-t-elle obéissante ?

— Oui, répondit l'Homme.

— La Mer entière se montre-t-elle obéissante ?

— Non, répondit l'Homme. Une fois le jour et une fois la nuit, la Mer remonte le long de la rivière Perak et pousse l'eau douce jusque dans la forêt, inondant ma maison ; une fois le jour et une fois la nuit, elle redescend et toute l'eau se retire, si bien qu'il ne reste que de la boue, et ma pirogue bascule. Est-ce à ce jeu que tu lui as demandé de jouer ?

— Non, répondit l'Aîné des Magiciens. Ce nouveau jeu ne vaut rien.

— Regarde ! s'écria l'Homme.

La grande Mer envahissait l'embouchure de la rivière Perak, poussant l'eau devant elle jusqu'à ce qu'elle déborde dans la forêt sombre sur des kilomètres et des kilomètres, avant d'inonder la maison de l'Homme.

— Ça ne va pas. Mets ta pirogue à l'eau et nous allons chercher qui joue avec la Mer, déclara l'Aîné des Magiciens.

Ils montèrent à bord ; l'enfant-fille les accompagnait ; l'Homme prit son *kris* - un couteau courbe et ondulé avec une lame de flamme - et ils partirent sur la rivière Perak. Quand la Mer se retira, la pirogue franchit l'embouchure de la rivière Perak, dépassa Selangor, dépassa Malacca, dépassa Singapour et continua vers l'île de Bintang, comme tirée par une corde.

Alors l'Aîné des Magiciens se leva et cria :

— Oh ! bêtes, oiseaux et poissons, vous que j'ai pris entre mes mains aux Tout-Commencements et à qui j'ai appris les jeux auxquels vous devez jouer, lequel d'entre vous s'amuse avec la Mer ?

Alors bêtes, oiseaux et poissons répondirent à l'unisson :

— Aîné des Magiciens, nous jouons aux jeux que tu nous as appris - nous et les enfants de nos enfants. Mais aucun d'entre nous ne joue avec la Mer.

Alors la Lune se leva, ronde et pleine sur les flots, et l'Aîné des Magiciens dit au vieil homme bossu assis dessus, occupé à filer une ligne avec laquelle il espérait un jour pêcher le Monde :

— Oh ! Pêcheur de la Lune, es-tu en train de jouer avec la Mer ?

— Non, répondit le Pêcheur, je file une ligne avec laquelle un jour j'attraperai le Monde ; mais je ne joue pas avec la Mer.

Et il continua à filer sa ligne.

Il y a aussi un Rat dans la Lune qui mord toujours la ligne du vieux Pêcheur au fur et à mesure qu'il la file, et l'Aîné des Magiciens lui dit :

— Oh ! Rat de la Lune, es-tu en train de jouer avec la Mer ?

Et le Rat répondit :

— Je suis trop occupé à mordre la ligne que le vieux Pêcheur file. Je ne joue pas avec la Mer.

Et il continua à mordre la ligne.

Alors la petite enfant-fille leva ses doux petits bras bruns avec leurs magnifiques bracelets de coquillages blancs et dit :

— Ô Aîné des Magiciens ! Quand mon père s'est entretenu avec toi aux Tout-Commencements, alors que j'étais perchée sur son épaule pendant que les bêtes apprenaient leurs jeux, l'une d'elles a désobéi et s'est échappée dans la Mer avant que tu lui aies enseigné le jeu auquel elle devait jouer.

Et l'Aîné des Magiciens dit :

— Quelle sagesse chez les petits enfants qui observent sans rien dire ! À quoi ressemblait cette bête ?

Et la petite enfant-fille répondit :

— Elle était ronde et plate ; ses yeux poussaient au bout de tiges et elle marchait en biais, comme ça ; le dos couvert d'une grosse armure.

Et l'Aîné des Magiciens dit :

— Quelle sagesse chez les petits enfants qui disent la vérité ! Maintenant, je sais où est allé Pau Amma. Donne-moi la pagaie !

Il prit la pagaie, mais il était inutile de pagayer, car

le courant les entraînait tranquillement devant toutes les îles ; ils parvinrent enfin dans un endroit qui s'appelait Pusat Tasek - le Cœur de la Mer ; là se trouve le grand creux menant tout droit au cœur du monde et où pousse l'Arbre des Merveilles, Pauuh Janggi, qui porte les double noix magiques. L'Aîné des Magiciens plongea le bras jusqu'à l'épaule dans l'eau tiède et profonde et sous les racines de l'Arbre des Merveilles, toucha le large dos de Pau Amma le Crabe. Et Pau Amma s'enfonça sous ce contact et toute la Mer monta comme monte l'eau dans une cuvette quand on plonge la main dedans.

— Ah ! dit l'Aîné des Magiciens. Maintenant, je sais qui jouait avec la Mer. Que fais-tu, Pau Amma ? cria-t-il.

Et Pau Amma, du fin fond des profondeurs, répondit :

— Une fois le jour et une fois la nuit, je sors chercher de quoi me nourrir. Une fois le jour et une fois la nuit, je reviens. Laisse-moi tranquille.

Alors l'Aîné des Magiciens dit :

— Écoute, Pau Amma. Lorsque tu sors de ta grotte, les eaux de la Mer se déversent dans Pusat Tasek, toutes les plages et toutes les îles se retrouvent à nu, les petits poissons meurent et Raja Moyanf Kaban, le Roi des Eléphants, ça lui fait les pattes boueuses. Lorsque tu reviens et que tu t'installes dans Pusat Tasek, les eaux de la Mer montent, la moitié des petites îles sont noyées, la maison de l'Homme est inondée et Raja Abdullah, le Roi des Crocodiles, ça lui remplit la bouche d'eau salée.

Alors Pau Amma, du fin fond des profondeurs, rit et répondit :

— Je ne savais pas que j'étais si important. À partir de maintenant, je sortirai sept fois par jour et les eaux ne seront plus jamais tranquilles.

Et l'Aîné des Magiciens dit :

— Je ne peux plus te faire jouer au jeu prévu pour toi, Pau Amma, parce que tu m'as échappé aux Tout-Commencements ; mais si tu n'as pas peur, monte donc en discuter avec moi.

— Je n'ai pas peur, répondit Pau Amma et il monta à la surface de la mer, dans le clair de lune.

Il n'y avait personne au monde d'aussi gros que Pau Amma - parce qu'il était le Crabe Roi de tous les Crabes. Pas un Crabe ordinaire, mais le Crabe Roi. Un côté de sa grande carapace touchait la plage à Sarawak, l'autre la plage de Pahang ; et il était plus haut que la fumée de trois volcans !

En grimpant dans les branches de l'Arbre aux Merveilles, il fit tomber une grosse noix - ces noix magiques à double amande qui rendent les gens jeunes ; la petite enfant-fille la vit danser le long de la pirogue, elle l'attrapa et en ôta le cœur tendre avec ses petits ciseaux d'or.

— Maintenant, dit le Magicien, fais un Sortilège, Pau Amma, pour montrer à quel point tu es important.

Pau Amma leva les yeux au ciel en agitant les pattes, mais seule la Mer réagit parce que, même s'il était un Crabe Roi, il n'était rien de plus qu'un Crabe ; l'Aîné des Magiciens se mit à rire.

— Tu n'es pas si important, après tout, Pau Amma, dit-il. À mon tour d'essayer.

Et il lança un Sortilège de sa main gauche - rien qu'avec le petit doigt de sa main gauche - et c'est alors que, Mieux Aimée, la carapace dure, noir, bleu, vert de Pau Amma se détacha comme une noix tombe d'un cocotier et Pau Amma se retrouva tout mou - mou comme les petits crabes qu'on trouve parfois sur la plage, Mieux Aimée.

— Ah vraiment, tu es très important ! dit l'Aîné des Magiciens. Vais-je demander à l'Homme ici présent de te découper avec son *kris* ? Vais-je envoyer Rajah Moyang Kaban, le Roi des Eléphants, te transpercer de ses défenses ? Ou vais-je convoquer Rajah Abdullah, le Roi des Crocodiles, pour te mordre ?

Et Pau Amma répondit :

— J'ai honte ! Rends-moi ma carapace dure et laisse-moi retourner à Pusat Tasek ; je ne sortirai plus qu'une fois par jour et une fois par nuit pour chercher de quoi me nourrir.

Et l'Aîné des Magiciens dit :

— Non, Pau Amma, je ne te rendrai pas ta carapace, car tu ne ferais que grossir et forcir en devenant toujours plus orgueilleux et tu oublierais sans doute ta promesse et tu recommencerais à jouer avec la mer.

Alors Pau Amma dit :

— Que vais-je faire ? Je suis si gros que je ne peux me cacher qu'à Pusat Tasek ; si je vais n'importe où ailleurs, tout mou comme je suis désormais, les requins et les chiens de mer me dévoreront. Et à Pusat Tasek, tout mou comme je suis désormais, même si j'y suis en sécurité, je ne pourrai plus jamais sortir chercher de quoi me nourrir et donc, je mourrai.

Et il se lamentait sans cesser de remuer les pattes.

— Écoute, Pau Amma, dit l'Aîné des Magiciens, je ne peux plus te faire jouer au jeu prévu pour toi parce que tu m'as échappé aux Tout-Commencements ; mais si tu le souhaites, chaque pierre, chaque trou, chaque bouquet d'algues, dans toutes les mers, sera un Pusat Tasek dans lequel tes enfants et toi s'abriteront pour toujours.

Alors Pau Amma dit :

— C'est bel et bon mais je n'ai pas encore choisi. Ecoute ! Il y a cet Homme avec lequel tu discutais aux Tout-Commencements. Si tu l'avais écouté

moins longtemps, je ne me serais pas lassé d'attendre, je ne me serais pas enfui et rien de tout ceci ne serait arrivé. Lui, que va-t-il faire pour moi ?

Et l'Homme dit :

— Si tu le souhaites, je lancerai un Sort pour que tes enfants et toi soyez chez vous aussi bien dans l'eau profonde que sur la terre ferme - ainsi tu pourras te cacher aussi bien dans la mer que sur la terre.

Et Pau Amma dit :

— Je n'ai pas encore choisi. Écoute ! Il y a cette fille qui m'a vu m'enfuir aux Tout-Commencements. Si elle avait parlé à ce moment-là, l'Aîné des Magiciens m'aurait rappelé et rien de tout ceci ne serait jamais arrivé. Elle, que va-t-elle faire pour moi ?

Et la petite enfant-fille dit :

— C'est une bonne noix que je suis en train de manger. Si tu le souhaites, je lancerai un Sort et je te donnerai cette paire de ciseaux, pointus et résistants, pour que tes enfants et toi, vous puissiez manger des noix de coco comme celle-là à longueur de journée quand vous montez de la Mer vers la terre ; ou vous creuser un Pusat Tasek personnel avec ces ciseaux personnels quand il n'y a ni trou ni pierre dans les environs ; et si la terre est trop dure, ils vous permetteront d'escalader un arbre.

Et Pau Amma dit :

— Je n'ai pas encore fait mon choix parce que,

tout mou comme je suis, ces cadeaux ne m'aideront pas. Rends-moi ma carapace, ô Aîné des Magiciens, et là, je jouerai à ton jeu.

Et l'Aîné des Magiciens dit :

— Je vais te la rendre, Pau Amma, pour onze mois de l'année ; le douzième, tu deviendras à nouveau tout mou pour que toi et tes enfants, vous n'oubliez pas que je peux lancer des Sortilèges et que vous restiez humbles, Pau Amma ; car si tu peux courir aussi bien sous la mer que sur la terre, tu deviendras trop audacieux ; et si tu peux grimper aux arbres, casser des noix et creuser des trous avec tes ciseaux, tu deviendras trop avide, Pau Amma.

Alors Pau Amma réfléchit un moment et dit :

— J'ai fait mon choix. Je prends tous les cadeaux.

Alors l'Aîné des Magiciens lança un Sort de sa main droite, avec les cinq doigts de sa main droite et c'est alors, Mieux Aimée, que Pau Amma devint petit petit petit jusqu'à ce qu'il n'y ait plus qu'un petit crabe vert qui nageait près de la pirogue en pleurant d'une toute petite voix :

— Donnez-moi les ciseaux !

Et l'enfant-fille le prit dans la paume de sa petite main brune et le posa au fond de la pirogue ; elle lui donna ses ciseaux et il les agita dans ses petits bras, il les ouvrit, il les ferma, il les fit claquer et dit :

— Je peux manger des noix. Je peux casser des

coquilles. Je peux creuser des trous. Je peux grimper aux arbres. Je peux respirer dans l'air et je peux trouver un bon Pusat Tasek sous chaque pierre. Je ne savais pas que j'étais si important. *Kun* ? Ça va ?

— *Payah kun*, répondit l'Aîné des Magiciens.

Il se mit à rire et lui offrit sa bénédiction ; et le petit Pau Amma déguerpit en passant par-dessus bord ; et il était si petit qu'il aurait pu se cacher dans l'ombre d'une feuille sur la terre ferme ou d'un coquillage mort au fond de la mer.

— N'était-ce pas bien mené ? dit l'Aîné des Magiciens.

— Si, répondit l'Homme. Mais maintenant, il faut rentrer à Perak et pagayer jusque là-bas va être très fatigant. Si on avait attendu que Pau Amma soit sorti de Pusat Tasek pour rentrer chez lui, l'eau nous aurait portés là-bas.

— Tu es paresseux, dit l'Aîné des Magiciens. Tes enfants seront donc aussi paresseux. Ils seront les gens les plus paresseux du monde.

Il leva le doigt vers la Lune et dit :

— Ô Pêcheur, regarde cet Homme trop paresseux pour rentrer chez lui à la rame. Tire donc sa pirogue avec ton fil, Pêcheur.

— Non, dit l'Homme. Si je dois être paresseux tous les jours de ma vie, que la Mer travaille pour moi deux fois par jour pour l'éternité. Voilà qui m'épargnera des coups de rame.

Et l'Aîné des Magiciens se mit à rire et dit :

— *Payan kun* (C'est bien).

Et le Rat de la Lune cessa de mordre la ligne ; et le Pêcheur la laissa tomber jusqu'à ce qu'elle touchât la Mer et il tira toute la Mer profonde, passa devant l'île de Bintang, devant Singapour, devant Malacca, devant Selangor jusqu'à ce que la pirogue tourbillonnât à nouveau dans l'embouchure de la rivière Perak.

— *Kun* ? demanda le Pêcheur de la Lune.

— *Payan kun*, répondit l'Aîné des Magiciens. Veille maintenant à tirer la Mer deux fois par jour et deux fois par nuit, pour l'éternité, pour que les pêcheurs paresseux n'aient plus à pagayer. Mais prends garde à ne pas tirer trop fort, ou je vous lance un Sortilège, à Pau Amma et toi.

Et ils remontèrent tous la rivière Perak et ils allèrent se coucher, Mieux Aimée.

Maintenant, écoute-moi bien !

Depuis ce jour jusqu'à aujourd'hui, la Lune a toujours tiré la Mer dans un sens et dans l'autre pour faire ce que nous appelons les marées. Parfois, le Pêcheur de la Mer tire un peu trop fort, et nous avons les vives-eaux ; et parfois, il tire un peu trop doucement, et nous avons ce que nous appelons les mortes-eaux ; mais presque toujours, il fait attention, à cause de l'Aîné des Magiciens.

Et Pau Amma ? Lorsque tu vas à la plage, tu vois comment tous les bébés Pau Amma font leurs petits Pusat Tasek personnels sous chaque pierre, sous chaque paquet d'algues dans le sable ; tu les vois agiter leurs petits ciseaux ; et dans certaines parties du monde, ils vivent vraiment sur la terre ferme, ils grimpent aux troncs des palmiers et mangent des noix de coco, exactement comme l'avait promis l'enfant-fille. Mais une fois par an, tous les Pau Amma doivent quitter leur armure et se retrouver tout mous - pour ne pas oublier le pouvoir de l'Aîné des Magiciens. Et donc, ce n'est pas bien de tuer ou de pourchasser les bébés Pau Amma rien que parce que le vieux Pau Amma s'est montré stupidement insolent il y a fort longtemps.

Ah oui ! Les bébés Pau Amma détestent qu'on les arrache à leurs petits Pusat Tasek pour les rapporter à la maison dans des bocaux à cornichons. C'est pour cela qu'ils te pincent avec leurs ciseaux, et c'est bien fait pour toi !

Voici

un dessin de Pau Amma le Crabe en train de s'enfuir pendant que l'Aîné des Magiciens discute avec l'Homme et sa Petite Enfant-Fille. L'Aîné des Magiciens, assis sur son trône magique, est enveloppé dans son Nuage Magique. Les trois fleurs devant lui sont les trois Fleurs Magiques. Au sommet de la colline, on voit Tout-ce-qu'il-y-avait-d'Eléphant, Tout-ce-qu'il-y-avait-de-Vache et Tout-ce-qu'il-y-avait-de-Tortue en train de partir jouer, comme le leur a demandé l'Aîné des Magiciens. La Vache a une bosse, parce qu'elle était Tout-ce-qu'il-y-avait-de-Vache ; donc, elle devait posséder tout ce qui existait pour les vaches à venir plus tard. Sous la colline, il y a les Animaux qui savent déjà à quels jeux ils doivent jouer. On voit Tout-ce-qu'il-y-avait-de-Tigre en train de sourire à Tout-ce-qu'il-y-avait-d'Os et on voit Tout-ce-qu'il-y-avait-d'Elan, Tout-ce-qu'il-y-avait-de-Perroquet et Tout-ce-qu'il-y-avait-de-Lapin sur la colline. Les autres Animaux sont de l'autre côté, donc je ne les ai pas dessinés. La petite maison en haut de la colline, c'est Tout-ce-qu'il-y-avait-de-Maison. L'Aîné des Magiciens l'a construite pour montrer à l'Homme comment faire des maisons, lorsqu'il souhaiterait s'y mettre. Le Serpent autour de ce relief pointu c'est Tout-ce-qu'il-y-avait-de-Serpent et il parle avec Tout-ce-qu'il-y-avait-de-Singe ; le Singe se montre grossier avec le Serpent et le Serpent se montre grossier avec le Singe. L'Homme est très absorbé par sa conversation avec l'Aîné des Magiciens.

La Petite Enfant-Fille regarde Pau Amma en train de s'enfuir. Cette grosse bosse qu'on voit dans l'eau, au premier plan, c'est Pau Amma. A cette époque, ce n'était pas un Crabe ordinaire. C'était un Crabe Roi. Voilà pourquoi il n'a pas la même allure. Le truc qui ressemble à des briques sur lequel l'Homme est debout, c'est le Grand Labo-Labyrinthe. Quand l'Homme aura terminé sa discussion avec l'Aîné des Magiciens, il entrera dans le Grand Labo-Labyrinthe, parce qu'il y est obligé. Le signe sur la pierre, sous le pied de l'Homme, est un signe magique ; et en dessous, j'ai dessiné les trois Fleurs Magiques toutes mélangées avec le Nuage Magique. Tout ce dessin est Gros Remède et Forte Magie.

Voici le dessin de Pau Amma le Crabe en train de sortir de la mer, haut comme la fumée de trois volcans. Je n'ai pas dessiné les trois volcans, parce que Pau Amma était trop grand. Pau Amma a essayé de jeter un Sort, mais il n'est qu'un vieil idiot de Crabe Roi, et donc, il n'arrive à rien du tout. Tu vois qu'il est tout en pattes et en griffes, une creuse coquille vide. La pirogue est celle dans laquelle l'Homme, l'Enfant-Fille et l'Aîné des Magiciens ont navigué sur la rivière Perak. La Mer est toute noire et houleuse, parce que Pau Amma vient juste de sortir de Pusat Tasek. Pusat Tasek se trouve en dessous, donc je ne l'ai pas dessiné. L'Homme brandit son couteau-*kris* courbe contre Pau Amma. La Petite Enfant-Fille est tranquillement assise au milieu de la pirogue. Elle sait qu'elle est parfaitement en sécurité avec son papa. L'Aîné des Magiciens, debout à l'autre extrémité de la pirogue, commence à lancer un Sortilège. Il a laissé son trône magique sur la plage ; il a ôté ses vêtements pour ne pas être mouillé, et il a également laissé le Nuage Magique, afin de ne pas faire chavirer le bateau. Le truc qui ressemble à une autre petite pirogue à côté de la vraie s'appelle un outrigger. C'est un morceau de bois fixé sur des bâtons qui sert à empêcher la pirogue de chavirer. La pirogue est creusée dans un seul morceau de bois et il y a une rame à l'une de ses extrémités.

P. & O. en allant en Chine
Passe tout près du terrain de jeux de Pau Amma,
Et son Pusat Tasek se trouve
Non loin du trajet de la plupart des B.I.,
Des N.Y.K. et des N.D.L.
Je connais la demeure de Pau Amma aussi bien
Que le Pêcheur de la Mer connaît
« Bens », M.M. et Rubattinos.
Mais (et voilà qui est bien étrange)
A.T.L. ne peut pas venir ici ;
O et O, et D.O.A.
Doivent faire le tour de l'autre côté.

Orient, Anchor, Bibby, Hall
Ne prennent jamais cette route-là.
U.C.S. serait fou de rage
S'il se retrouvait dessus.
Et si « Castors » emmenait leurs cargos
À Penang plutôt qu'à Lagos,
Ou si un gros Shaw-Savill emportait
Ses passagers à Singapour,
Ou une White Star cherchait à se lancer
Dans un petit voyage vers Sourabaya,
Ou si un B.S.A. continuait
Après Natal vers Cheribon,
Alors le grand Mr Lloyds arriverait
Avec un filin pour les tirer jusqu'à la maison !

Tu comprendras le sens de cette langue
Le jour où tu auras mangé des mangues.

Ou si tu ne peux pas attendre jusque-là, demande-leur de te laisser la première feuille du *Times* ; va à la page 2, où il est marqué *Embarquements* en haut à gauche ; prends ensuite l'atlas (c'est le plus beau livre d'images du monde) et vois comment les escales des paquebots correspondent aux noms qu'on trouve sur la carte. N'importe quel moussaillon devrait en être capable ; mais si tu ne sais pas lire, demande à quelqu'un de te montrer comment t'y prendre.

# Le Chat qui Allait tout Seul

Écoute bien et tends l'oreille ; car ceci advint, arriva, se fit et fut, ô ma Mieux Aimée, alors que les animaux Domestiques étaient sauvages. Le Chien était sauvage, le Cheval était sauvage, la Vache était sauvage, le Mouton était sauvage et le Cochon était sauvage - aussi sauvages qu'il est possible de l'être - et ils rôdaient dans les Territoires Détrempés avec leur sauvagerie pour compagnie. Mais le plus sauvage de tous les animaux sauvages, c'était le Chat. Il allait seul et pour lui, tous les endroits se valaient.

Bien sûr, l'Homme aussi était sauvage. Terriblement sauvage. Il fallut qu'il rencontre la Femme pour commencer à être domestiqué parce qu'elle déclara qu'elle n'appréciait pas ses mœurs sauvages. Pour s'allonger, elle préféra une jolie Grotte sèche à un tas de feuilles humides ; elle répandit du sable propre sur le sol ; elle alluma un bon feu de bois au fond de la Grotte ; et, en travers de l'entrée, elle tendit une peau séchée de cheval sauvage, la queue vers le bas ; et elle dit :

— Essuie-toi les pieds quand tu rentres, mon chéri, car désormais, la maison sera bien tenue.

Ce soir-là, Mieux Aimée, ils mangèrent du mouton sauvage, rôti sur les pierres chaudes et parfumé à l'ail sauvage et au poivre sauvage ; du canard sauvage farci de riz sauvage, de fenouil sauvage et de coriandre sauvage ; des os à moelle de bœufs sauvages ; des cerises sauvages et des fruits de la passion sauvages. Puis l'Homme s'endormit devant le feu, heureux comme il ne l'avait jamais été ; mais la Femme se leva et peigna ses cheveux. Elle prit l'os de l'épaule de mouton - ce grand os tout aplati -, en examina les magnifiques traces, rajouta du bois dans le feu et jeta un Sort. Elle composa le Premier Sortilège Chantant du monde.

Dehors, dans les Territoires Détrempés, tous les animaux sauvages se rassemblèrent là où la lumière du feu se voyait de loin et ils se demandèrent ce que cela signifiait.

Puis Cheval Sauvage frappa le sol de son sabot sauvage et dit :

— Ô mes Amis et mes Ennemis, pourquoi l'Homme et la Femme ont-ils fait cette grande lumière dans cette grande Grotte, et quel mal cela va-t-il nous faire ?

Chien Sauvage leva son museau sauvage et huma l'odeur du mouton rôti ; il dit :

— Je vais aller y regarder de plus près parce qu'il me semble que c'est une bonne chose ; Chat, viens avec moi.

— Nenni ! répondit le Chat. Je suis le Chat qui va tout seul et pour moi, tous les endroits se valent. Je ne viendrai pas.

— Alors, nous ne serons plus jamais amis, répondit Chien Sauvage et il se mit en route au trot.

Mais dès qu'il se fut un tant soit peu éloigné, le Chat se dit : « Pour moi, tous les endroits se valent. Pourquoi ne pas y aller aussi et voir ce qui s'y passe, à ma convenance ? »

Il se glissa donc doucement, très doucement derrière Chien Sauvage et se cacha là où il pouvait tout entendre.

Lorsque Chien Sauvage parvint devant la Grotte, il poussa du museau la peau de cheval séchée et huma la somptueuse odeur de mouton rôti ; la Femme, sans quitter l'os des yeux, l'entendit et dit en riant :

— Voilà le premier. Chose Sauvage sortie des Territoires Détrempés, que veux-tu ?

— Ô mon Ennemie et Femme de mon Ennemi, répondit Chien Sauvage, quelle est donc cette odeur délicieuse dans les Territoires Détrempés ?

Alors la Femme prit un os de mouton rôti, le lança à Chien Sauvage et dit :

— Chose Sauvage sortie des Territoires Détrempés, goûte-moi ça.

Chien Sauvage se mit à ronger l'os et c'était plus délicieux que tout ce qu'il avait jamais goûté ; il dit :

— Ô mon Ennemie et Femme de mon Ennemi, donne-m'en encore.

La Femme dit :

— Chose Sauvage sortie des Territoires Détrempés, aide mon Homme à chasser pendant le jour et garde cette Grotte la nuit, je te donnerai autant d'os rôtis qu'il te faudra.

— Ah, dit Chat qui écoutait. Voilà une Femme fort sage, mais pas autant que moi.

Chien Sauvage entra en rampant dans la Grotte et vint poser sa tête sur les genoux de la Femme. Il dit :

— Ô mon amie et Femme de mon Ami, j'aiderai ton Homme à chasser le jour et la nuit, je garderai ta Grotte.

— Ah, dit Chat qui écoutait. Voilà un Chien bien imbécile.

Et il repartit dans les Territoires Détrempés, remuant sa queue sauvage, avec sa sauvagerie pour unique compagnie. Mais il ne souffla mot à quiconque.

Lorsque l'Homme se réveilla, il dit :

— Que fait ici Chien Sauvage ?

Et la Femme répondit :

— Il ne s'appelle plus Chien Sauvage, mais Premier Ami, parce qu'il sera notre ami pour toujours toujours toujours. Emmène-le quand tu partiras chasser.

Le soir suivant, la Femme récolta de vastes brassées vertes d'herbe tendre dans les prés gorgés d'eau et la fit sécher devant le feu, pour qu'elle répande une odeur de foin fraîchement coupé ; puis elle s'assit à l'entrée de la Grotte et tressa un licou avec la peau du cheval ; elle regarda ensuite l'épaule de mouton - ce grand os large et plat - et jeta un sort. Elle composa le Deuxième Sortilège Chantant du monde.

Dehors, dans les Territoires Détrempés, tous les animaux sauvages se demandaient ce qui était arrivé à Chien Sauvage ; Cheval Sauvage finit par taper du pied et dire :

— Je vais aller voir pourquoi Chien Sauvage n'est pas revenu. Chat, viens avec moi.

— Nenni ! dit le Chat. Je suis le chat qui va tout seul et pour moi, tous les endroits se valent. Je ne viendrai pas.

Mais il n'en suivit pas moins Cheval Sauvage discrètement, très discrètement et se cacha quelque part d'où il pouvait tout entendre.

Lorsque la Femme entendit Cheval Sauvage buter-trébucher sur sa longue crinière, elle se mit à rire et dit :

— Voilà le deuxième. Chose Sauvage sortie des

Territoires Détrempés, que veux-tu ?

Cheval Sauvage répondit :

— Ô mon Ennemie et Femme de mon Ennemi, où est Chien Sauvage ?

La Femme se mit à rire, saisit l'os plat, le regarda et déclara :

— Chose Sauvage sortie des Territoires Détrempés, tu n'es pas venu ici pour Chien Sauvage, mais pour le bonheur de cette bonne herbe.

Et Cheval Sauvage, butant-trébuchant sur sa longue crinière, dit :

— C'est vrai ; donne-la-moi à manger.

La Femme dit :

— Chose Sauvage sortie des Territoires Détrempés, incline ta tête sauvage pour enfiler ce que je t'ai préparé et tu pourras manger cette merveilleuse herbe trois fois par jour.

— Ah, dit le Chat qui écoutait. Voilà une Femme intelligente, mais elle ne l'est pas autant que moi.

Cheval Sauvage inclina sa tête sauvage et la Femme lui passa le licou de peau tressée ; Cheval Sauvage souffla sur les pieds de la Femme et dit :

— Ô ma Maîtresse et Femme de mon Maître, je serai ton serviteur pour le bonheur de cette herbe merveilleuse.

— Ah, dit le Chat qui écoutait. Voilà un Cheval

bien imbécile.

Et il repartit dans les Territoires Détrempés, en agitant sa queue sauvage, avec sa sauvagerie pour unique compagnie. Mais il ne souffla mot à quiconque.

Lorsque l'Homme et le Chien revinrent de la chasse, l'Homme dit :

— Que fait Cheval Sauvage ici ?

Et la Femme répondit :

— Il ne s'appelle plus Cheval Sauvage, mais Premier Serviteur parce qu'il nous portera d'un endroit à l'autre pour toujours toujours toujours. Monte donc sur son dos quand tu vas chasser.

Le lendemain, tenant haut sa tête sauvage pour que ses cornes sauvages ne se prennent pas dans les arbres sauvages, Vache Sauvage vint jusqu'à la Grotte ; le Chat la suivit et se cacha comme il l'avait fait précédemment ; tout se passa exactement comme précédemment ; le Chat dit les mêmes choses que précédemment ; et lorsque Vache Sauvage eut promis de donner son lait à la Femme tous les jours en échange de la merveilleuse herbe, le Chat s'en revint à travers les Territoires Détrempés en agitant sa queue sauvage, avec sa sauvagerie pour unique compagnie, exactement comme précédemment. Mais il ne souffla mot à quiconque. Et quand l'Homme rentra après avoir chassé avec le Cheval et le Chien et posa les mêmes questions que précédemment, la Femme dit :

— Elle ne s'appelle plus Vache Sauvage, mais Bonne Nourricière. Elle va nous donner le lait tiède et blanc pour toujours toujours toujours et moi, je m'occuperai d'elle pendant que toi, tu iras chasser avec Premier Ami et Premier Serviteur.

Le lendemain, le Chat attendit de voir si une nouvelle Chose Sauvage allait se rendre à la Grotte, mais comme personne ne bougeait dans les Territoires Détrempés, il décida d'y aller tout seul ; il vit la Femme en train de traire la Vache, il vit la lumière du feu dans la Grotte, il sentit l'odeur du lait tiède et blanc.

Le Chat dit :

— Ô mon Ennemie et Femme de mon Ennemi, où est donc partie Vache Sauvage ?

La Femme rit et dit :

— Chose Sauvage sortie des Territoires Détrempés, retourne dans les Territoires, parce que j'ai natté mes cheveux, j'ai rangé l'os magique et nous n'avons plus besoin d'amis ni de serviteurs dans notre Grotte.

Le Chat dit :

— Je ne suis pas un ami et je ne suis pas un serviteur. Je suis le Chat qui va tout seul et je souhaite venir dans votre Grotte.

La Femme dit :

— Alors pourquoi n'es-tu pas venu avec Premier Ami, cette première nuit ?

Le Chat se fâcha tout rouge et répondit :

— Chien Sauvage a-t-il déblatéré contre moi ?

Alors la Femme rit et dit :

— Tu es le Chat qui va tout seul et pour toi, tous les endroits se valent. Tu n'es ni un ami ni un serviteur. Tu l'as dit toi-même. Va-t-en tout seul dans tous ces endroits qui se valent.

Alors le Chat fit mine d'être contrit et dit :

— Je ne dois donc jamais entrer dans la Grotte ? Je ne dois donc jamais m'installer près du feu douillet ? Je ne dois donc jamais boire le lait tiède et blanc ? Tu es très sage et très belle. Tu ne devrais pas te montrer cruelle, même envers un Chat.

La Femme dit :

— Je savais que j'étais sage mais j'ignorais que j'étais belle. Je vais donc passer un marché avec toi. Si jamais je te fais un seul compliment, tu pourras entrer dans la Grotte.

— Et si tu m'en fais deux ? dit le Chat.

— Ça n'arrivera pas, répondit la Femme, mais si je te fais deux compliments, tu pourras t'installer près du feu dans la Grotte.

— Et si tu m'en fais trois ?

— Ça n'arrivera pas, mais si je te fais trois compliments, tu pourras boire du lait tiède et blanc trois

fois par jour pour toujours toujours toujours.

Alors le Chat arqua le dos et dit :

— Que le Rideau à l'entrée de la Grotte, le Feu au fond de la Grotte et le Pot à lait à côté du Feu se souviennent de ce qu'a dit mon Ennemie et la Femme de mon Ennemi.

Et il s'en alla dans les Territoires Détrempés en agitant sa queue sauvage avec sa sauvagerie pour unique compagnie.

Ce soir-là, lorsque l'Homme, le Cheval et le Chien rentrèrent de la chasse, la Femme ne leur dit mot du marché passé avec le Chat, parce qu'elle craignait que cela leur déplaise.

Le Chat s'en alla loin très loin et se cacha longtemps dans les Territoires Détrempés avec sa sauvagerie pour unique compagnie, jusqu'à ce que la Femme l'oublie complètement. Seule la Chauve-Souris - cette petite Chauve-Souris tête en bas - pendue dans la Grotte savait où se cachait le Chat ; et tous les soirs, Chauve-Souris rejoignait Chat d'un coup d'aile pour le tenir au courant des dernières nouvelles.

Un soir, Chauve-Souris annonça :

— Il y a un Bébé dans la Grotte. Il est tout neuf, tout rose, tout gras et tout petit et la Femme l'aime énormément.

— Ah, dit le Chat, tout ouïe. Mais le Bébé, qu'aime-t-il ?

— Il aime qu'on le chatouille avec quelque chose de doux, répondit la Chauve-Souris. Il aime s'endormir avec quelque chose de tiède entre les bras. Il aime qu'on joue avec lui. Ce sont toutes ces choses-là qu'il aime.

— Ah, dit le Chat tout ouïe. Alors, mon heure a sonné.

Le lendemain soir, le Chat traversa les Territoires Détrempés et se cacha près de la Grotte jusqu'au matin ; l'Homme, le Cheval et le Chien partirent chasser. La Femme était occupée à cuisiner et le Bébé l'interrompait par ses pleurs. Elle le porta donc à l'extérieur et lui donna une poignée de cailloux avec lesquels jouer. Mais le Bébé continua à pleurer.

Alors le Chat fit patte de velours et caressa la joue du Bébé qui se mit à gazouiller ; le Chat se frotta contre ses genoux dodus et le chatouilla sous le menton du bout de sa queue. Le Bébé rit aux éclats ; en l'entendant, la Femme sourit.

Puis la Chauve-Souris - la petite Chauve-Souris tête en bas - pendue à l'entrée de la Grotte dit :

— Ô mon Hôtesse, Femme de mon Hôte et Mère du Fils de mon Hôte, une Chose Sauvage venue des Territoires Sauvages joue de la plus belle des façons avec ton Bébé.

— Je bénis cette Chose Sauvage, quelle qu'elle soit, dit la Femme en se redressant, car ce matin, j'étais très occupée et elle m'a rendu service.

À cette minute, à cette seconde, Mieux Aimée, le Rideau en Peau de cheval séchée accrochée queue en bas à l'entrée de la Grotte tomba - pouf ! - parce qu'il se souvenait du marché passé avec le Chat ; et lorsque la Femme vint le ramasser - ça alors ! - le Chat était confortablement installé dans la Grotte.

— Ô mon Ennemie, Femme de mon Ennemi et mère de mon Ennemi, dit le Chat, c'est moi ; car tu m'as fait un compliment, et maintenant, je peux m'installer dans la Grotte pour toujours toujours toujours. Mais je suis quand même le Chat qui va tout seul et pour moi, tous les endroits se valent.

La Femme était très en colère ; elle serra les lèvres, prit son rouet et se mit à filer.

Mais le Bébé pleurait parce que le Chat était parti et la Femme ne parvenait pas à le calmer, car il se débattait en donnant des coups de pied et son visage s'assombrissait.

— Ô mon Ennemie, Femme de mon Ennemi et Mère de mon Ennemi, dit le Chat, prends un brin du fil que tu es train de filer, noue-le autour de ton fuseau, traîne-le par terre et je vais te montrer un tour de magie qui fera rire ton Bébé aussi fort qu'il pleure à présent.

— Je vais le faire, dit la Femme, parce que je suis à court d'idées ; mais je ne te remercierai pas pour autant.

Elle noua le fil au petit fuseau d'argile qu'elle tira sur le sol ; le Chat courut après, le poussa du bout de la patte, culbuta cul par-dessus tête, l'envoya derrière son épaule, le pourchassa entre ses pattes postérieures en faisant mine de le perdre avant de se jeter à nouveau dessus, et le Bébé se mit à rire aussi bruyamment qu'il avait pleuré et cavala après le Chat en gambadant dans toute la Grotte jusqu'à ce qu'il fût bien fatigué et s'installât pour dormir, le Chat dans les bras.

— Maintenant, dit le Chat, je vais lui chanter une chanson qui va l'endormir une heure durant.

Et il se mit à ronronner, fort et bas, bas et fort, jusqu'à ce que le Bébé fût profondément endormi. La Femme sourit en les contemplant tous deux et dit :

— Voilà qui était merveilleusement mené. Rien à dire, tu es malin, ô Chat.

À cette minute, à cette seconde, Mieux Aimée, la fumée du Feu au fond de la Grotte tomba en nuage du plafond - pouf ! - parce qu'elle se souvenait du marché passé avec le Chat ; et quand elle se fut dissipée - ça alors ! - le Chat était confortablement installé près du feu.

— Ô mon Ennemie, Femme de mon Ennemi et Mère de mon Ennemi, dit le Chat, c'est moi : car tu m'as fait un deuxième compliment, et maintenant, je peux m'installer près du feu bien chaud au fond de la Grotte pour toujours toujours toujours. Mais je suis quand même le Chat qui va tout seul et pour moi, tous les endroits se valent.

Alors, la Femme fut très très en colère, elle lâcha ses cheveux, remit du bois sur le feu et sortit le grand os plat de l'épaule de mouton pour jeter un Sort qui devait l'empêcher de prononcer un troisième compliment à l'égard du Chat. Ce n'était pas un Sortilège Chantant, Mieux Aimée, c'était un Sortilège Silencieux ; petit à petit, tout devint si tranquille qu'une toute petite petite souris se montra et traversa la Grotte en courant.

— Ô mon Ennemie, Femme de mon Ennemi et Mère de mon Ennemi, dit le Chat, cette petite souris fait-elle partie de ton Sortilège ?

— Oh fi ! Pas du tout ! cria la Femme.

Elle lâcha son omoplate et bondit sur le tabouret devant le feu en nattant vite fait ses cheveux tant elle craignait que la souris n'y grimpe.

— Ah, dit le Chat qui l'observait. Alors la souris ne me fera aucun mal si je la mange ?

— Non, dit la Femme occupée à sa tresse, mange-la vite et je t'en serai éternellement reconnaissante.

D'un seul bond, le Chat attrapa la petite souris et la Femme dit :

— Cent mercis. Même Premier Ami n'est pas aussi vif que toi pour attraper les petites souris. Tu dois être un sage.

À cette minute, à cette seconde, ô Mieux Aimée, le Pot à Lait près du feu se fendit en deux - pouf ! - parce qu'il se souvenait du marché passé avec le Chat ; et lorsque la Femme sauta du tabouret - ça alors ! - le Chat lapait le lait tiède et blanc qui restait au creux d'un des morceaux cassés.

— Ô mon Ennemie, Femme de mon Ennemi et Mère de mon Ennemi, dit le Chat, c'est moi : car tu m'as fait trois compliments et maintenant, je peux boire le lait tiède et blanc trois fois par jour pour toujours toujours toujours. Mais je suis quand même le Chat qui marche tout seul et pour moi, tous les endroits se valent.

Alors la Femme se mit à rire et donna au Chat un bol de lait tiède et blanc.

— Ô Chat, dit-elle, tu es aussi malin qu'un homme mais n'oublie pas que ce marché n'a pas été passé avec l'Homme ni le Chien, et je ne sais pas ce qu'ils feront quand ils rentreront.

— Qu'est-ce que ça peut me faire ? répondit le Chat. Si j'ai ma place dans la Grotte près du feu et mon lait tiède et blanc trois fois par jour, ce que font l'Homme et le Chien m'est bien égal.

Ce soir-là, quand l'Homme et le Chien rentrèrent à la Grotte, la Femme leur raconta toute l'histoire tandis que le Chat, assis au coin du feu, souriait. Puis l'Homme dit :

— Oui, mais il n'a passé aucun marché avec moi ni avec les Hommes dignes de ce nom qui me suivront.

Il ôta alors ses deux bottes de cuir et prit sa petite hache de pierre (ce qui fait trois), alla chercher un morceau de bois et une hachette (ce qui fait cinq en tout), aligna tout cela devant lui et dit :

— Maintenant, nous allons passer notre marché à nous. Si tu n'attrapes pas de souris maintenant que tu es dans la Grotte pour toujours toujours toujours, je te lancerai ces cinq objets dès que je te verrai et ainsi feront les Hommes dignes de ce nom qui me suivront.

— Ah, dit la Femme, tout ouïe. Le Chat est très intelligent, mais pas autant que mon Homme.

Le Chat compta les cinq objets (ils paraissaient très contondants) et dit :

— J'attraperai les souris si je suis dans la Grotte pour toujours toujours toujours ; mais je suis quand même le Chat qui va tout seul et pour moi, tous les endroits se valent.

— Pas quand je suis dans les parages, répondit l'Homme. Si tu n'avais pas prononcé cette dernière phrase, j'aurais rangé ces objets pour toujours toujours toujours ; mais désormais, je vais lancer mes deux bottes et ma petite hache de pierre (ce qui fait trois) sur toi chaque fois que je te croiserai. Et ainsi feront tous les Hommes dignes de ce nom qui me suivront !

Alors le Chien dit :

— Attends une minute. Il n'a passé aucun marché avec moi ni avec tous les Chiens dignes de ce nom qui me suivront. Si tu n'es pas gentil avec le Bébé tant que je suis dans la Grotte toujours toujours toujours, je te pourchasserai jusqu'à ce que je t'attrape, et quand je t'aurai attrapé, je te mordrai. Et ainsi feront tous les Chiens dignes de ce nom qui me suivront, ajouta-t-il en montrant les dents.

— Ah, dit la Femme, tout ouïe. Voilà un Chat très intelligent, mais pas autant que le Chien.

Le Chat compta les crocs du Chien (ils paraissaient très pointus) et dit :

— Je serai gentil avec le Bébé tant que je serai dans la Grotte, s'il ne me tire pas la queue trop fort, toujours toujours toujours. Mais je suis quand même le Chat qui va tout seul et pour moi, tous les endroits se valent.

— Pas quand je suis dans les parages, dit le Chien. Si tu n'avais pas prononcé cette dernière phrase, je t'aurais accepté pour toujours toujours toujours ; mais maintenant, je vais te chasser jusqu'au sommet des arbres chaque fois que je te verrai. Et ainsi feront tous les Chiens dignes de ce nom qui me suivront.

Alors l'Homme lança sur le Chat ses deux bottes et sa petite hache de pierre (ce qui fait trois), le Chat s'enfuit de la Grotte et le Chien le pourchassa jusqu'en haut d'un arbre ; et depuis ce jour, Mieux Aimée, trois Hommes dignes de ce nom sur cinq lancent toujours quelque chose au Chat quand ils le croisent, et tous les Chiens dignes de ce nom le pourchassent jusqu'en haut des arbres. Mais le Chat, de son côté, respecte le marché. Il tue les souris et il se montre gentil envers les Bébés quand il est dans la maison, s'ils ne lui tirent pas la queue trop fort. Mais à part ça, et entre-temps, quand la lune monte et que la nuit descend, il est le Chat qui va tout seul et pour qui tous les endroits se valent. Alors, il se promène dans les Territoires Détrempés ou il escalade les Arbres Détrempés ou les Toits Détrempés, en agitant sa queue sauvage avec sa sauvagerie pour unique compagnie.

Voici

le dessin de la Grotte où l'Homme et la Femme vivaient au tout début. C'était vraiment une très jolie Grotte et beaucoup plus chaleureuse qu'elle n'en a l'air. L'Homme avait une pirogue. Elle est au bord de la rivière et trempe dans l'eau pour bien gonfler. Le truc tout déchiqueté qui traverse la rivière, c'est le filet à saumon de l'Homme avec lequel il attrape les saumons. Il y a des jolies pierres propres qui conduisent de la rivière à l'entrée de la Grotte, pour que l'Homme et la Femme puissent descendre chercher de l'eau sans avoir de sable entre les orteils. Les machins qui ressemblent à des cancrelats tout au bout de la plage, ce sont en fait des troncs d'arbre mort qui ont flotté sur la rivière, venant des Territoires Détrempés de l'autre rive. L'Homme et la Femme avaient l'habitude de les tirer sur la berge pour les faire sécher avant de les couper pour alimenter le feu. Je n'ai pas dessiné le rideau en peau de cheval à l'entrée de la Grotte, parce que la Femme vient justement de le décrocher pour le nettoyer. Toutes ces petites taches sur le sable entre la Grotte et la rivière, ce sont les traces des pieds de l'Homme et des pieds de la Femme.

L'Homme et la Femme sont tous deux à l'intérieur de la Grotte, en train de dîner. Ils sont partis dans une autre Grotte, plus confortable, lorsque le Bébé est arrivé, parce que le Bébé avait pris l'habitude de ramper jusqu'à la rivière dans laquelle il tombait et le Chien devait le repêcher.

# Voici

le dessin du Chat qui s'en Allait tout Seul à travers les Territoires Détrempés, avec sa sauvagerie pour unique compagnie en agitant sa queue sauvage. Il n'y a rien d'autre dans l'image, mis à part quelques champignons. Ils poussaient là tant les bois étaient mouillés. Le truc qui fait une bosse sur la branche basse n'est pas un oiseau. C'est de la mousse qui a poussé là parce que les Territoires Détrempés étaient tellement mouillés.

Sous le dessin proprement dit, il y en a un autre qui représente la Grotte douillette dans laquelle sont allés l'Homme et la Femme après l'arrivée du Bébé. C'était leur Grotte d'été et ils ont planté du blé devant. L'Homme est parti à Cheval chercher la Vache et la ramener à la Grotte pour la traire. Il a la main levée pour appeler le Chien, qui a traversé la rivière pour trouver des lapins.

Minou chante au coin du feu
Minou escalade les arbres
Ou joue avec une ficelle et un vieux bouchon,
Mais ça l'amuse lui, pas moi.
J'aime Binkie mon chien,
parce qu'il sait se conduire ;
Donc, Binkie est identique au Premier Ami
Et moi je suis l'Homme de la Grotte !

Minou jouera les Vendredis
Jusqu'au moment de se mouiller les pattes
Pour se balader sur le rebord des fenêtres
(c'est la trace repérée par Crusoé) ;
Puis il gonfle sa queue en miaulant
Et gratte en refusant d'attendre.
Mais Binkie, lui, jouera au jeu que je choisis,
Il est mon authentique Premier Ami !

Minou frottera sa tête contre mes genoux
En faisant mine de m'aimer à la folie ;
Mais à la minute où je vais au lit,
Minou fonce dehors dans la cour,
Où il traîne jusqu'au petit matin ;
Je sais donc qu'il fait semblant ;
Binkie, lui, ronfle toute la nuit à mes pieds,
Il est le Premier de mes Premiers Amis !

# Le Papillon qui tapait du Pied

Celle-ci, ô ma Mieux Aimée, est une histoire - une histoire bien différente des autres histoires - une histoire qui parle du Plus Sage des Souverains, Souleiman-ben-Daoud, Salomon fils de David.

Il existe trois cent cinquante-cinq histoires à propos de Souleiman-ben-Daoud ; mais celle-ci n'en fait pas partie. Ce n'est pas l'histoire du Vanneau qui a découvert l'Eau ; ni de la Huppe qui a protégé Souleiman-ben-Daoud de la chaleur. Ce n'est pas l'histoire du Dallage de Verre ni celle du Rubis Troué de Travers ni celle des Lingots d'Or de Balkis. C'est l'histoire du Papillon qui Tapait du Pied.

Maintenant, concentre-toi et écoute bien !

Souleiman-ben-Daoud était un sage. Il comprenait ce que disaient les animaux, ce que disaient les oiseaux, ce que disaient les poissons et aussi ce que disaient les insectes. Il comprenait ce que disaient les rochers au profond de la terre quand ils s'inclinaient l'un vers l'autre en gémissant ; il comprenait ce que disaient les arbres quand on les entendait bruire dans le matin. Il comprenait tout, depuis l'évêque dans sa chaire jusqu'à l'hysope dans le mur ; et Balkis, sa Première Reine, Balkis la Très Belle Reine, était presque aussi sage que lui.

Souleiman-ben-Daoud était fort. Au troisième doigt de la main droite, il portait un anneau. Lorsqu'il le tournait une fois, Djinns et Effrits surgissaient de terre pour obéir à tous ses ordres. Lorsqu'il le tournait deux fois, les Fées descendaient du ciel pour obéir à tous ses ordres ; et lorsqu'il le tournait trois fois, le très grand ange Azrael de l'Épée arrivait, vêtu en porteur d'eau, et lui donnait des nouvelles des trois mondes - En Haut, En Bas et Ici.

Et pourtant, Souleiman-ben-Daoud n'était pas vaniteux. Il se vantait très rarement et s'il le faisait, il en était bien désolé. Une fois, il tenta de nourrir tous les animaux du monde entier en une seule journée, mais la nourriture prête, un Animal sortit des profondeurs de la mer et dévora le tout en trois bouchées. Souleiman-ben-Daoud, très surpris, dit :

— Ô Animal, qui es-tu ?

Et l'Animal répondit :

— Ô Roi, vie éternelle ! Je suis le plus petit de mes trente mille frères et nous vivons au fond de la mer.

Nous avons appris que tu allais nourrir les animaux du monde entier et mes frères m'ont envoyé demander quand le repas serait prêt.

Souleiman-ben-Daoud, plus étonné que jamais, dit :

— Ô Animal, tu as mangé le repas que j'avais préparé pour tous les animaux du monde entier.

Et l'Animal dit :

— Ô Roi, vie éternelle ! Tu appelles vraiment cela un repas ? Là d'où je viens, nous mangeons chacun deux fois autant entre chaque repas.

Alors Souleiman-ben-Daoud tomba face contre terre et dit :

— Ô Animal ! J'ai offert ce repas pour montrer quel roi riche et puissant j'étais et non par bonté à l'égard des animaux. Maintenant, j'ai honte et c'est bien fait pour moi.

Souleiman-ben-Daoud était un homme authentiquement sage, Mieux Aimée. Après cette histoire, il n'oublia plus jamais à quel point c'était bête de se montrer vaniteux ; et c'est maintenant que démarre la véritable histoire que je voulais raconter.

Il avait épousé énormément de femmes. Il en avait épousé neuf cent quatre-vingt-dix-neuf, sans compter la Très Belle Balkis ; et elles vivaient toutes dans un grand palais doré construit au milieu de jardins magnifiques, avec des fontaines. Il n'avait pas vraiment besoin de neuf cent quatre-vingt-dix-neuf épouses, mais à cette époque, tout le monde épousait beaucoup de femmes et bien entendu, le Roi se devait d'en épouser encore davantage pour montrer qu'il était le Roi.

Si certaines de ses femmes étaient gentilles, d'autres étaient simplement affreuses et les affreuses se disputaient avec les gentilles, qu'elles rendaient affreuses à leur tour et après, elles se disputaient toutes avec Souleiman-ben-Daoud, et c'était affreux pour lui. Mais Balkis la Très Belle ne se disputait jamais avec Souleiman-ben-Daoud. Elle l'aimait trop pour cela. Elle restait dans ses appartements du Palais Doré ou se promenait dans les jardins, sincèrement navrée pour lui.

Évidemment, s'il avait décidé de tourner l'anneau autour de son doigt pour invoquer les Djinns et les Effrits, en un tour de magie, ceux-ci auraient transformé ces neuf cent quatre-vingt-dix-neuf épouses querelleuses en mules blanches du désert, en lévriers ou en graines de grenade ; mais Souleiman-ben-Daoud estimait que ce serait se montrer vaniteux. Donc, lorsqu'elles se disputaient trop, il se contentait de se promener tout seul dans une partie des magnifiques jardins du Palais en regrettant d'être venu au monde.

Un jour, alors qu'elles se disputaient depuis trois

semaines - les neuf cent quatre-vingt-dix-neuf épouses ensemble - Souleiman-ben-Daoud sortit en quête de calme et de tranquillité, comme à son habitude ; au milieu des orangers, il rencontra Balkis la Très Belle, toute affligée de voir Souleiman-ben-Daoud aussi inquiet. Et elle lui dit :

— Ô mon Seigneur et la Lumière de mes Yeux, tourne l'anneau autour de ton doigt et montre à ces Reines d'Égypte, de Mésopotamie, de Perse et de Chine que tu es le Roi, grand et terrible.

Mais Souleiman-ben-Daoud secoua la tête et dit :

— Ô ma Dame et le Délice de mes Jours, souviens-toi de l'Animal sorti de la mer qui m'a fait honte devant les animaux du monde entier parce que je m'étais montré vaniteux. Si j'en fais autant devant ces Reines de Perse, d'Égypte, d'Abyssinie et de Chine, simplement parce qu'elles me causent du souci, je risque de me sentir encore plus honteux.

Et Balkis la Très Belle répondit :

— Ô mon Seigneur et le Trésor de mon Âme, qu'allez-vous faire ?

Et Souleiman-ben-Daoud dit :

— Ô ma Dame et le Bonheur de mon Cœur, je vais continuer à subir mon destin entre les mains de ces neuf cent quatre-vingt-dix-neuf Reines qui me contrarient avec leurs éternelles disputes.

Il reprit sa promenade entre les lys, les pruniers du

Japon, les roses, les cannacées et le gingembre à l'odeur lourde qui poussaient dans les jardins jusqu'à ce qu'il parvînt au grand camphrier qu'on appelait le Camphrier de Souleiman-ben-Daoud. Balkis se cacha derrière, au milieu des grands iris, des bambous tachetés et des lys rouges, afin d'être tout près de son authentique amour, Souleiman-ben-Daoud.

Deux Papillons volaient sous l'arbre, occupés à se quereller.

Souleiman-ben-Daoud entendit l'un déclarer à l'autre :

— L'audace avec laquelle tu oses me parler me sidère ! Ignores-tu que si je tapais du pied, tout le Palais de Souleiman-ben-Daoud et ses jardins disparaîtraient immédiatement dans un seul coup de tonnerre ?

Alors Souleiman-ben-Daoud oublia ses neuf cent quatre-vingt-dix-neuf épouses harassantes et les rodomontades du Papillon le firent rire à en faire trembler le camphrier. Il leva le doigt et dit :

— Petit homme, viens ici.

Le Papillon, mort de peur, réussit à voler jusque sur la main de Souleiman-ben-Daoud, et s'y percha en s'éventant. Souleiman-ben-Daoud pencha la tête et chuchota tout doucement :

— Petit homme, tu sais que tu auras beau taper des pieds, pas un brin d'herbe n'oscillera. Qu'est-ce qui t'a poussé à raconter cet abominable mensonge à ton épouse ? Car, sans aucun doute, c'est ton épouse…

Le Papillon regarda Souleiman-ben-Daoud et vit que les yeux du plus sage des Rois brillaient comme des étoiles par une nuit de gel ; il prit son courage à deux ailes, inclina la tête sur le côté et dit :

— Ô Roi, vie éternelle ! C'est bien mon épouse ; et tu sais comment sont les épouses.

Souleiman-ben-Daoud sourit dans sa barbe et dit :

— Oui, je sais, petit frère.

— Il faut les tenir, d'une manière ou d'une autre, dit le Papillon. Nous nous disputons depuis ce matin. J'ai dit cela pour la calmer.

Et Souleiman-ben-Daoud dit :

— Si cela la calme… Retourne auprès de ton épouse, petit frère, et laisse-moi écouter votre conversation.

Le Papillon repartit vers sa femme, toute frémissante derrière une feuille :

— Il t'a entendu ! dit-elle. Souleiman-ben-Daoud lui-même t'a entendu !

— S'il m'a entendu ! répliqua le Papillon. Bien sûr que oui. Je voulais justement qu'il m'entende.

— Et qu'a-t-il dit ? Oh, qu'a-t-il dit ?

— Eh bien, répondit le Papillon en s'éventant d'un air très important, entre toi et moi, ma chère - bien entendu, je ne lui fais aucun reproche, parce que son

Palais a dû coûter une fortune et les oranges sont juste mûres - il m'a demandé de ne pas taper du pied et j'ai promis de ne pas le faire.

— Seigneur ! s'exclama sa femme qui en resta coite.

Mais Souleiman-ben-Daoud riait tellement de l'effronterie du vilain petit Papillon que les larmes ruisselaient sur ses joues.

Derrière l'arbre, Balkis la Très Belle se redressa au milieu des lys rouges et sourit, car elle avait entendu toute la conversation. Elle pensa : « Si je me montre sage, je peux encore sauver mon Seigneur des persécutions de ces Reines querelleuses ». Le doigt tendu, elle chuchota doucement à l'Épouse du Papillon :

— Petite Femme, viens ici.

L'Épouse du Papillon s'envola pour se percher, très effrayée, sur la main blanche de Balkis.

Balkis pencha sa belle tête et murmura :

— Petite femme, crois-tu ce que ton époux vient de dire ?

L'Épouse du Papillon regarda Balkis et vit que les yeux de la Très Belle Reine brillaient comme des mares profondes quand la lune s'y reflète, et elle prit son courage à deux ailes et dit :

— Ô Reine, que ta beauté soit éternelle. Tu sais bien comment sont les hommes.

Et la Reine Balkis, la Sage Balkis de Saba, mit sa main devant ses lèvres pour dissimuler un sourire et dit :

— Petite sœur, je le sais.

— Ils se fâchent pour un rien, expliqua l'Épouse du Papillon en s'éventant vivement, mais nous devons les ménager, ô Reine. Ils ne pensent pas la moitié de ce qu'ils disent. Si cela fait plaisir à mon mari de croire que je crois qu'il peut faire disparaître le Palais de Souleiman-ben-Daoud en tapant du pied, à coup sûr, cela m'est égal. Il aura tout oublié demain.

— Petite sœur, dit Balkis, tu as bien raison ; mais la prochaine fois qu'il se vante encore, prends-le donc au mot. Demande-lui de taper du pied et regarde ce qui se passe. Nous savons comment sont les hommes, non ? Il aura honte de lui.

L'Épouse du Papillon alla rejoindre son époux et au bout de cinq minutes, ils se disputaient plus fort que jamais.

— N'oublie pas ! cria le Papillon. N'oublie pas ce que je peux faire en tapant du pied.

— Je n'en crois pas un mot, répliqua l'Épouse du Papillon. J'aimerais beaucoup voir ça. Essaye donc de taper du pied maintenant.

— J'ai promis à Souleiman-ben-Daoud de n'en rien faire, dit le Papillon, et je ne veux pas rompre ma promesse.

— Ça n'aurait aucune importance, dit son épouse. En tapant du pied, tu ne plierais même pas un brin

d'herbe. Je te mets au défi de le faire. Tape ! Tape ! Tape donc !

Souleiman-ben-Daoud, assis sous le camphrier, n'en perdait pas un mot et riait comme il n'avait jamais ri de sa vie. Il oublia ses Reines ; il oublia l'Animal sorti de la mer ; il oublia qu'il ne fallait pas se montrer vaniteux. Il riait simplement parce qu'il était joyeux et Balkis, de l'autre côté de l'arbre, souriait parce que son authentique amour était si joyeux.

Justement, le Papillon, tout échauffé et boursouflé, revint en tourbillonnant dans l'ombre du camphrier et dit à Souleiman :

— Elle veut que je tape du pied ! Elle veut voir ce qui se passera, ô Souleiman-ben-Daoud ! Tu sais que je ne peux pas le faire et maintenant, elle ne croira plus un mot de ce que je raconte. Elle va se moquer de moi jusqu'à la fin de mes jours.

— Non, petit frère, dit Souleiman-ben-Daoud, elle ne se moquera plus jamais de toi...

Et il tourna l'anneau autour de son doigt - rien que pour faire plaisir au Papillon, pas par vanité - et ça alors ! quatre immenses Djinns surgirent de terre !

— Esclaves, ordonna Souleiman-ben-Daoud, lorsque ce monsieur sur mon doigt (c'était là que l'effronté Papillon s'était installé) tape du pied gauche, faites disparaître mon Palais et ces jardins sur un seul coup de tonnerre. Quand il tapera une deuxième fois, remettez soigneusement tout en place. Bon, petit frère, reprit-il, retourne voir ta femme et tape du pied autant qu'il t'en plaira.

Le Papillon s'envola rejoindre son épouse qui criait :

— Je te mets au défi de le faire ! Tape ! Tape tout de suite ! Tape donc !

Balkis vit les quatre immenses Djinns se pencher aux quatre coins des jardins avec le Palais au milieu, elle frappa doucement dans ses mains et dit :

— Enfin, Souleiman-ben-Daoud fait pour le bonheur d'un Papillon ce qu'il aurait dû faire depuis belle lurette pour le sien propre. Ces Reines querelleuses vont avoir peur !

Alors, le Papillon tapa du pied. Les Djinns lancèrent en l'air le Palais et les jardins à une hauteur de mille kilomètres : on entendit un épouvantable coup de tonnerre et tout devint d'un noir d'encre. L'Épouse du Papillon voletait dans l'obscurité en pleurant :

— Oh je serai gentille ! Je suis tellement désolée d'avoir insisté ! Mon petit mari chéri, fais donc revenir les jardins et je ne te contredirai plus jamais !

Le Papillon était presque aussi effrayé que sa femme ; Souleiman-ben-Daoud riait tellement qu'il lui fallut plusieurs minutes pour retrouver son souffle et chuchoter au Papillon :

— Tape encore une fois du pied, petit frère. Rends-moi mon Palais, puissant magicien.

— Oui, rends-lui son Palais, dit l'Épouse du Papillon qui volait toujours dans les ténèbres comme une phalène. Rends-lui son Palais et ne reparlons plus jamais de cette horrible magie.

— Eh bien, ma chère, dit le Papillon le plus courageusement qu'il pût, tu vois où tes harcèlements nous ont menés ! Bien sûr, cela ne fait aucune différence pour moi - je suis habitué à ce genre de situation - mais pour te faire plaisir, ainsi qu'à Souleiman-ben-Daoud, j'accepte de remettre les choses en l'état.

Il tapa donc à nouveau du pied et aussitôt, les Djinns laissèrent retomber le Palais et les jardins, sans même un cahot. Le soleil brilla sur les feuilles d'orangers vert foncé ; les fontaines jouèrent au milieu des lys roses d'Égypte ; les oiseaux reprirent leur chant ; l'Épouse du Papillon, couchée sur le flanc sous le camphrier, battait des ailes en haletant :

— Oh ! Je serai gentille ! Oh ! Je serai gentille !

Souleiman-ben-Daoud riait tellement qu'il ne pouvait plus parler. Écroulé et hoquetant, il tendit quand même le doigt vers le Papillon et dit :

— Ô grand sorcier, à quoi bon me rendre mon Palais si au même moment, tu me fais crever d'hilarité ?

Retentit alors un vacarme épouvantable, car toutes les neuf cent quatre-vingt-dix-neuf Reines sortaient du Palais en hurlant et en appelant leurs bébés.

Elles dévalèrent le grand escalier de marbre sous la fontaine, attaquant par centaine ; Balkis la Très Sage vint à leur rencontre d'une démarche majestueuse et dit :

— Quelles difficultés vous accablent, ô Reines ?

Debout sur l'escalier de marbre, attaquant par centaine, elles crièrent :

— Quelles difficultés nous accablent ? Alors que nous vivions tranquillement dans notre Palais Doré, selon notre habitude, le Palais a soudain disparu et nous nous sommes retrouvées plongées dans des ténèbres épaisses et bruyantes ; le tonnerre a claqué, les Djinns et les Effrits se déplaçaient dans l'obscurité ! Voilà les difficultés qui nous accablent, ô Première Reine, et nous sommes tout particulièrement accablées par ces difficultés, car ce sont des difficultés des plus accablantes, bien plus que n'importe quelle difficulté que nous ayons déjà connue.

Alors Balkis la Reine Très Belle - la Tout à fait Mieux Aimée de Souleiman-ben-Daoud - qui était Reine de Saba et de Sabie et des Fleuves d'Or du Sud - depuis le Désert de Zinn jusqu'aux Tours de Zimbabwe - Balkis, presque aussi sage que le Très Sage Souleiman-ben-Daoud lui-même, dit :

— Ce n'est rien, ô Reines ! Un Papillon a porté plainte contre son épouse parce qu'elle ne cessait de le quereller et il a plu à notre Seigneur Souleiman-ben-Daoud de lui donner une leçon de déférence et d'humilité, car cela est considéré comme une vertu chez les épouses de papillons.

Alors la Reine d'Égypte - fille d'un Pharaon - se leva et dit :

— On ne peut pas arracher notre Palais à ses racines comme un poireau pour le plaisir d'un petit insecte. Non ! Souleiman-ben-Daoud doit être mort, et ce que nous avons vu et entendu, c'est la terre plongée dans les ténèbres qui s'est mise à tonner en apprenant la nouvelle.

Alors Balkis fit un signe à cette audacieuse Reine sans même la regarder et déclara, à elle et aux autres :

— Venez voir.

Elles descendirent l'escalier de marbre, attaquant par centaine, et virent sous son camphrier, encore affaibli de rire, Souleiman-ben-Daoud le Roi Très Sage qui se balançait d'avant en arrière avec un Papillon sur chaque main ; elles l'entendirent dire :

— Ô épouse de mon frère des airs, souviens-toi désormais de satisfaire ton mari en toutes choses, pour ne pas le provoquer à de nouveau taper du pied ; car il a dit qu'il était habitué à cette Magie, et c'est un grand magicien des plus respectables — lui qui fait disparaître le Palais même de Souleiman-ben-Daoud. Allez en paix, bonnes gens !

Il déposa un baiser sur leurs ailes et ils s'envolèrent.

Alors, toutes les Reines, à l'exception de Balkis - la plus Belle et la plus Somptueuse des Reines qui restait à l'écart, souriante - tombèrent face contre terre en disant :

— S'il survient de telles choses lorsqu'un Papillon est mécontent de son épouse, que va-t-il nous arriver à nous qui avons fâché notre Roi avec nos éclats de voix et nos querelles ouvertes pendant tant de jours ?

Elles rabattirent alors leurs voiles sur leurs têtes, mirent leurs mains devant leurs bouches et retournèrent sur la pointe des pieds au Palais, silencieuses comme des souris.

Alors Balkis - la Très Belle et Excellente Balkis - passa des lys rouges à l'ombre du camphrier, posa sa main sur l'épaule de Souleiman-ben-Daoud et dit :

— Ô mon Seigneur et le Trésor de mon Âme, réjouis-toi car nous avons enseigné aux Reines d'Égypte, de Mésopotamie, d'Abyssinie, de Perse, d'Inde et de Chine une grande et mémorable leçon.

Et Souleiman-ben-Daoud, qui s'occupait toujours des Papillons jouant dans le soleil, dit :

— Ô ma Dame et le Joyau de ma Félicité, quand cela a-t-il eu lieu ? Car depuis que je suis dans le jardin, je n'ai fait que m'amuser avec un Papillon.

Et il raconta à Balkis ce qu'il avait fait.

Balkis - la Douce et Très Adorable Balkis - dit :

— Ô mon Seigneur et le Régent de mon Existence, cachée derrière le camphrier, j'ai tout vu. C'est moi qui ai dit à l'Épouse du Papillon de demander à son époux de taper du pied, parce que j'espérais que par amour de la plaisanterie, mon Seigneur ferait quelque grande Magie dont les Reines seraient témoins et qu'elles en seraient effrayées.

Et elle lui raconta ce que les Reines avaient dit, vu et pensé.

Alors Souleiman-ben-Daoud se leva de son siège sous le camphrier, étira ses bras et dit, enchanté :

— Ô ma Dame et le Réconfort de mes Jours, tu sais que si j'avais utilisé la Magie contre mes Reines pour flatter ma vanité ou ma colère, comme lorsque j'avais organisé ce festin pour tous les animaux, j'aurais certainement eu honte de moi. Mais grâce à ta sagesse, j'ai utilisé la Magie par amour de la plaisanterie et pour arranger un petit Papillon et - tiens ! -

— cela m'a également libéré des tracas causés par mes tracassantes épouses ! Dis-moi donc, ô ma Dame et le Cœur de mon Cœur, où as-tu acquis tant de sagesse ?

Et Balkis la Reine, grande et belle, regarda Souleiman-ben-Daoud droit dans les yeux, pencha un peu la tête de côté, exactement comme le

Papillon, et dit :

— D'abord, ô mon Seigneur, parce que je vous aime ; et ensuite, ô mon Seigneur, parce que je sais comment sont les bonnes femmes.

Ils remontèrent ensuite jusqu'au Palais et vécurent désormais heureux.

Mais n'était-ce pas intelligent de la part de Balkis ?

## Voici

le dessin de l'Animal sorti de la mer et qui mangea toute la nourriture que Souleiman-ben-Daoud avait fait préparer pour les animaux du monde entier. C'était en réalité un bien gentil Animal et sa maman l'aimait beaucoup, ainsi que ses vingt-neuf mille neuf cent quatre-vingt-dix-neuf frères qui vivaient au fond de la mer. Tu sais qu'il était le plus petit de tous et donc, il s'appelait Small Porgies. Il mangea toutes ces boîtes, ces paquets, ces ballots et ces trucs qui avaient été préparés pour tous les animaux sans même prendre le temps d'enlever les couvercles ni dénouer les ficelles, mais ça ne lui fit aucun mal. Les mâts qui dépassent derrière les colis de nourriture, ce sont ceux des navires de Souleiman-ben-Daoud. Ils apportaient des provisions supplémentaires lorsque Small Porgies a débarqué. Il n'a pas dévoré les navires. Ils ont cessé de décharger leurs marchandises et ont fait instantanément voile vers le large jusqu'à ce que Small Porgies ait plus ou moins fini son repas. Près de l'épaule de Small Porgies, on voit quelques bateaux qui commencent à s'éloigner. Je n'ai pas dessiné Souleiman-ben-Daoud, mais il est juste à l'extérieur de l'image, tout à fait abasourdi. La caisse suspendue au mât du navire, dans le coin, est en fait un colis de dattes humides destinées aux perroquets. Je ne connais pas le nom des bateaux. Voilà tout ce qu'il y a dans ce dessin-là.

DHURRA MEAL
Wilderness Mills
Tadmor
DATES
Hamath-Arphad
LEEKS
FIG NUTS
ARTICHOKES
(Jerusalem)
for wild asses
Manasses
Importer to the King
LENTILS
Export Co
DATES
FIGS
GRAPES
Bushire Fruit Co
POULTRY-SPICE
Islands Spice Coy
HONEY
(wild)
SUGAR-CANE
Special Slave grown
FISH (dry)
Sidon
FISH
Tyre
LOCUST-BEANS
Best Carobean
RICE
Tarshish Shipping Co
ONION

Voici

le dessin des quatre Djinns à ailes de mouette en train de soulever le Palais de Souleiman-ben-Daoud dans la minute qui a suivi le coup de pied du Papillon. Le Palais, les jardins et tout le reste, c'est venu d'un seul tenant comme une planche, et ça a fait un gros trou dans la terre, rempli de poussière et de fumée. Si tu regardes dans l'angle, tout près du truc qui ressemble à un lion, tu verras Souleiman-ben-Daoud avec sa baguette magique et les deux Papillons derrière lui. Le truc qui ressemble à un lion, c'est vraiment un lion sculpté dans la pierre, et le truc qui ressemble à un bidon de lait, c'est en fait un morceau d'un temple ou d'une maison. Souleiman-ben-Daoud se tient là pour éviter la poussière et la fumée que font les Djinns en soulevant le Palais. Je ne connais pas le nom des Djinns. C'étaient les serviteurs de l'anneau magique de Souleiman-ben-Daoud et ils changeaient pratiquement tous les jours. Des modèles ordinaires de Djinns à ailes de mouette.

Le machin en bas du dessin, c'est un Djinn très sympathique qui s'appelle Akraig. Il nourrissait les petits poissons dans la mer trois fois par jour et ses ailes étaient de cuivre pur. Je l'ai mis là pour te montrer à quoi ressemble un gentil Djinn. Il n'a pas aidé à soulever le Palais. Il était occupé à nourrir les petits poissons dans la mer d'Arabie au moment où cela s'est produit.

*Une Reine comme Balkis il n'y en a jamais eu,*
*D'ici à la fin du vaste monde ;*
*Balkis a bavardé avec un papillon*
*Comme on bavarderait avec un ami.*

*Un Roi comme Salomon, il n'y en a jamais eu,*
*Depuis que le monde est monde ;*
*Salomon a bavardé avec un papillon*
*Comme un homme bavarde avec un autre*
*homme.*

*Elle était Reine de Saba —*
*Et il était seigneur d'Asie —*
*Mais tous deux ont bavardé avec des papillons*
*Dès qu'ils se sont éloignés de leurs maisons !*

TABLE

Imprimé par CAYFOSA QUEBECOR à Barcelone (Espagne)
32.10.2399.7/04 – ISBN : 978-2-01-322399-7
*Loi n° 49-956 du 16 juillet 1949 sur les publications destinées à la jeunesse*
Dépôt légal : mai 2008